Rainer Butz · Hans Magolt

Flötenzirkus

Band 2

Die Blockflötenschule für Kinder ab fünf Jahren

mit Illustrationen von Karin Schliehe
und Bernhard Mark

ED 9692
ISMN 979-0-001-13610-5
ISBN 978-3-7957-5649-9

MP3-Pack separat erhältlich unter
www.schott-music.com/shop/Q557417

www.schott-music.com

Mainz · London · Madrid · Paris · New York · Tokyo · Beijing

© 2004 SCHOTT MUSIC GmbH & Co. KG, Mainz · BSS 51368 · Printed in Germany

Hallo liebes Zirkuskind!

Willkommen beim zweiten Teil des lustigen Flötenzirkus! Schön, dass wir uns wieder sehen! Hier wollen wir viele neue Töne und Griffe kennen lernen, um noch mehr bekannte und auch ganz neue Lieder singen und spielen zu können. Darunter sind einige Lieder aus fernen Ländern, weil viele Artisten und Zirkusleute von weit her kommen. Einige tragen die Flagge ihres Landes. Male sie mit den richtigen Farben aus, sie sind auf der hinteren Umschlagseite abgebildet.
Gleich am Anfang stehen unsere Zirkus-Fanfare und unser Eröffnungslied, nach dem wir im Zirkus mit unseren Kunststücken beginnen. Da du dafür nur die bereits bekannten Töne brauchst, merkst du sofort, ob du alles aus dem ersten Heft des ‚Flötenzirkus' schon sicher kannst.
Trage deine Atemzeichen selbst ein, zum Beispiel mit dem bekannten Dreieck oder nur einem Häkchen an der obersten Notenlinie.

Versuche jedes Mal an wenigen Stellen zu atmen und nur dort, wo es dir vom Text und von der Musik her passend erscheint. Ein Wort darf also nicht durch einen Atem unterbrochen werden!
Die zweite Stimme ist in diesem Heft immer so eingerichtet, dass du sie auch sofort spielen kannst. Sicher findest du jemanden zum gemeinsamen Musizieren!
Auf den Belohnungspunkt am Ende eines Liedes haben wir nun verzichtet. Der wahre Künstler wird nämlich durch den Applaus des Publikums belohnt!
Nun wünschen wir dir wiederum viel Vergnügen beim Erlernen der neuen Kunststücke mit der Flöte, damit du mit uns bald selbst im lustigen Flötenzirkus auftreten kannst.
Los geht's! Oder wie wir im Zirkus auf französisch sagen:
Allez hopp!

© 2004 Schott Musik International, Mainz

Der Ton fis

deutsche Griffweise — barocke Griffweise

Das Kreuz ♯

Der Ton **f** hat einen Bruder namens **fis**. Beide haben denselben Notenkopf und gehören damit zur selben Tonfamilie. Sie unterscheiden sich aber durch ein **Vorzeichen**, denn beim fis wird ein **Kreuz** ♯ vor die Note gesetzt. Es gilt immer bis zum Ende des Taktes.

Fischers Fritz

R.B.

Fi - schers Fritz fischt fri - sche Fi - sche, fri - schen Fisch fischt Fischers
Ob den Zan - der, die Fo - rel - le, ob den Karp - fen o - der

Fritz, mag als Stäb - chen sie bei Ti - sche, oh - ne Grä - ten lang und spitz.
Hecht, al - le fängt er blitze - schnel - le, ihm ist je - de Sor - te Recht.

© 2004 Schott Musik International, Mainz

Avignon

Kinderlied aus Frankreich
Satz & T2: R.B.

Sur le pont d'Avignon*, l'on y danse, l'on y danse.
Tanze in Avignon auf der Brücke, auf der Brücke.

* Avignon ist eine Stadt in Südfrankreich.

Sur le pont d'Avignon, l'on y danse tout en rond. Les
Tanze in Avignon auf der Brücke den Cancan. Nach

Ende

Spiele von vorne bis zum Wort ‚Ende'.

musiciens font comme ci, et puis encore comme ça.
der bekannten Weise mal so, mal so im Kreise.

© 2004 Schott Musik International, Mainz

Chantal, die Schlangenfrau, mag als echte Französin morgens am liebsten ein Croissant zum Frühstück, ganz so wie bei ihr zu Hause in Paris. Male die Farben ihrer Landesflagge so aus, wie du sie auf der hinteren Umschlagseite sehen kannst.

Tipp: Sprich õ wie das o im Wort ‚Orgel': Avignon = awinjõ und Cancan = kõkõ.

Fütterung der Tiere

M: aus Thysius' Lautenbuch, um 1600
Satz & T: R.B.

1. Ob Hering, ob Karotten, ob Hühnchen oder Gemüse oder Heu,
   Das fressen unsre Tiere, ein jedes andres mag, sie brauchen eine Menge an Futter jeden Tag.
2. Ein Pfleger muss das wissen, sonst geht's den Tieren schlecht,
   Salate oder Blätter, Gemüse oder Brei.
   er darf nur nichts verwechseln, muss teilen stets gerecht.
   Dann danken sie uns allen durch manche schöne Stund', die sie uns gern erfreuen in dem Manegenrund.

Jan, der gutmütige Niederländer aus Amsterdam, dressiert die Seehunde nicht nur, er sorgt auch täglich vor Publikum für ihre Fütterung.

© 2004 Schott Musik International, Mainz

Tipp: Diese Melodie ist als niederländisches Frühlingslied mit den Worten ‚Der Winter ist vergangen' bekannt.

Kommt ein Vogel geflogen

Volkslied (Wenzel Müller 1822), Satz: R.B.
T: nach Adolf Bäuerle (1786-1859)

Kommt ein Vogel geflogen, setzt sich nieder auf mein' Fuß, hat ein' Zettel im Schnabel, von der Liebsten ein Gruß.
Lieber Vogel flieg weiter, nimm von mir mit einen Kuss. Kann dich ja nicht begleiten, weil ich hier bleiben muss.

© 2004 Schott Musik International, Mainz

Happy birthday to you

M: Mildred Hill, Satz: R.B.
T: Patti Smith-Hill, Dt. Sub-Spezialtext: Egon L. Frauenberger

Happy birthday to you! Happy birthday to you! Happy birthday dear Lisa, happy birthday to you!
Zum Geburtstag viel Glück! Zum Geburtstag viel Glück! Zum Geburtstag, liebe Lisa, zum Geburtstag viel Glück!

© 1935 by CLAYTON F. SUMMY & CO, Chicago / KEITH PROWSE MUSIC PUBL. CO LTD./
renewed by WARNER/CHAPPELL MUSIC INC., L.A., USA
Für Deutschland, GUS und osteuropäische Länder: MUSIKVERLAG INTERSONG GMBH & CO KG, Hamburg

Im Märzen der Bauer

Volkslied aus Mähren (Tschechien), Satz R.B.

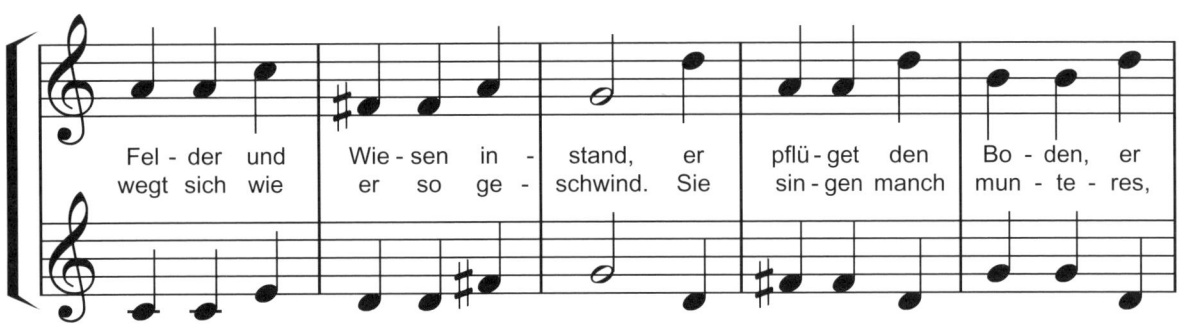

Im Märzen der Bauer die Rösslein einspannt, er setzt seine Felder und Wiesen instand, er pflüget den Boden, er egget und sät und rührt seine Hände früh morgens und spät.

Die Knechte und Mägde und all das Gesind, das regt und bewegt sich wie er so geschwind. Sie singen manch munteres, fröhliches Lied und freun sich von Herzen, wenn alles schön blüht.

Pavel, der tschechische Fahrer des Zeltwagens, kommt aus Prag. Er singt aus vollem Halse, während er die nächste Dorfwiese ansteuert.

© 2004 Schott Musik International, Mainz

Auf einem Baum ein Kuckuck saß

Volkslied
Satz & T2: R.B.

Auf ei - nem Baum ein Ku - ckuck
Der legt sein Ei ins frem - de

sim - sa - la - dim, bam - ba, sa - la - du, sa - la - dim, auf
sim - sa - la - dim, bam - ba, sa - la - du, sa - la - dim, der

ei - nem Baum ein Ku - ckuck saß.
legt sein Ei ins frem - de Nest.

© 2004 Schott Musik International, Mainz

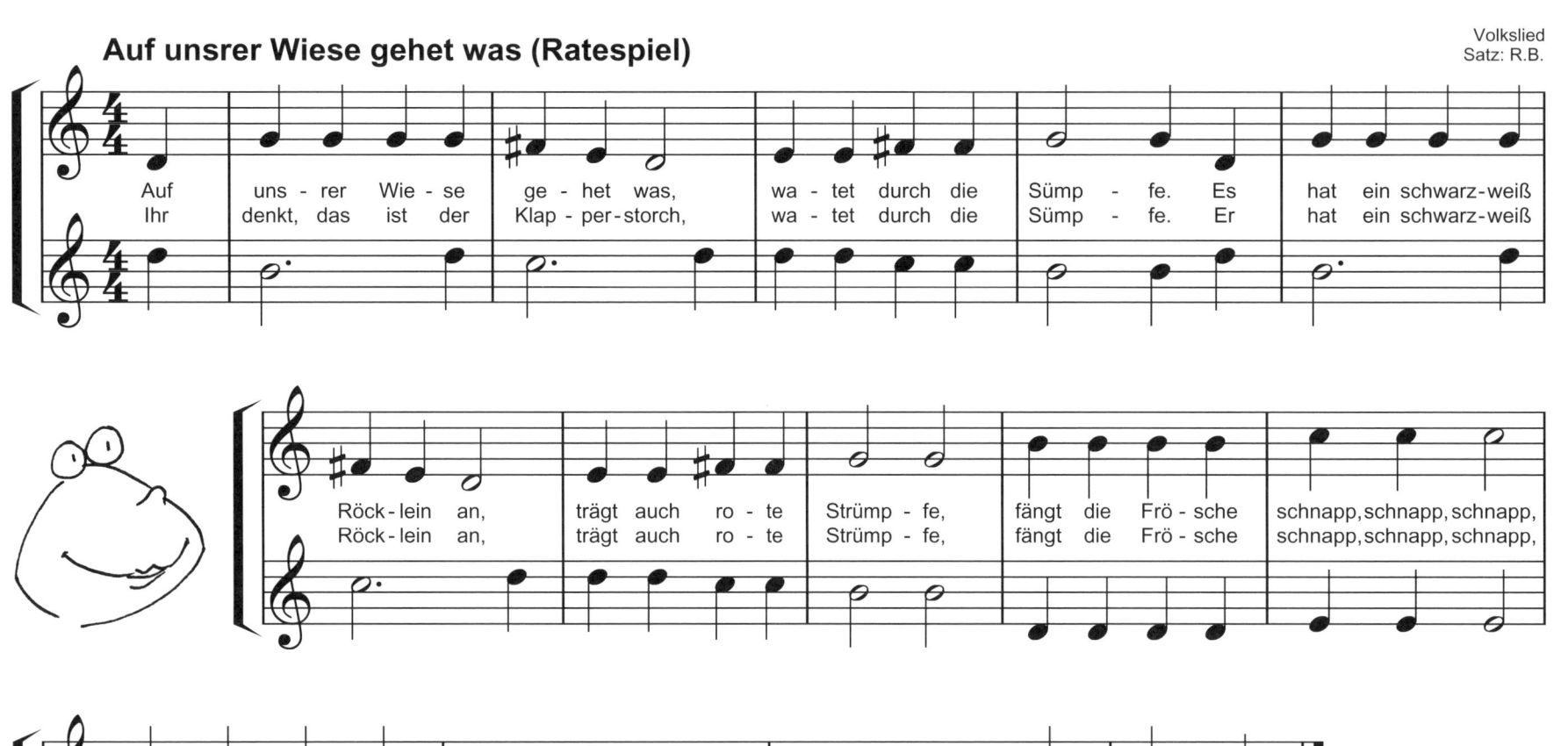

Familienbande

Bin das **f**, bin der Chef, weh, wenn ich mich ärg're, **fis** ist mein Brü-der-lein, doch ich bin der Stärk're!
Brü-der sind, ty-pisch Kind, manch-mal recht ver-schie-den. Spielt man f als den Chef, wird oft fis ver-mie-den.

© 2004 Schott Musik International, Mainz

Das Auflösungszeichen ♮

Es zeigt an, dass ein bisheriges Vorzeichen bis zum Ende des Taktes nicht mehr gilt. Manchmal schreibt man es auch zur Erinnerung in den nächsten Takt.

Mal so, mal so

Ich bin Fips, der Clown, lus-tig an-zu-schau'n, zieh ein Ge-sicht vor-ne im Licht.
Der A-re-na-sand ist mein Hei-mat-land, das Zir-kus-zelt ist mei-ne Welt!

Hab 'nen Rie-sen-schuh, Ulk ist, was ich tu. Werd' manch-mal nass nur so zum Spaß!
Ken-ne je-des Tier, al-le dan-ken mir. La-chen ist schön, kommt mich zu sehn!

© 2004 Schott Musik International, Mainz

Das hohe e

Das **hohe e** unterscheidet sich vom tiefen e nur dadurch, dass der Daumen am hinteren Griffloch etwas steiler steht und mit dem Fingernagel einen kleinen Spalt offen lässt.

Elsternbrauch

R.B.

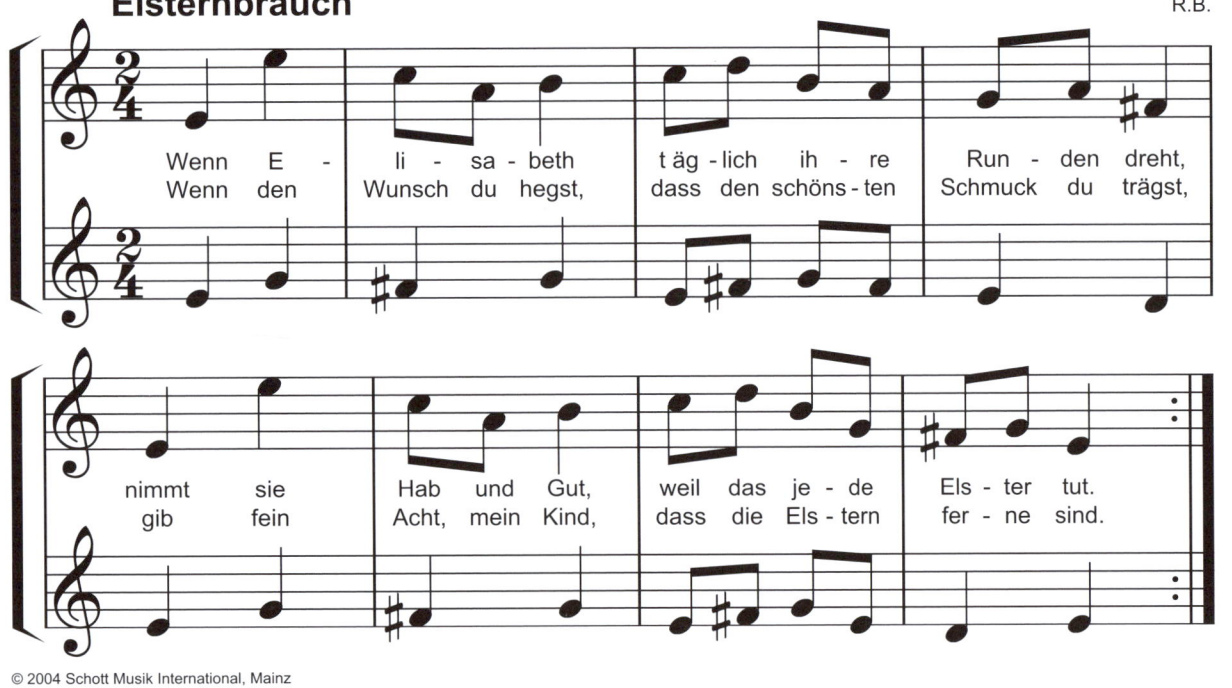

Wenn E - li - sa - beth täg - lich ih - re Run - den dreht,
Wenn den Wunsch du hegst, dass den schöns - ten Schmuck du trägst,

nimmt sie Hab und Gut, weil das je - de Els - ter tut.
gib sie fein Acht, mein Kind, dass die Els - tern fer - ne sind.

© 2004 Schott Musik International, Mainz

Der Sechsachteltakt $\frac{6}{8}$

Ein doppelter Dreiertakt in raschem Tempo wird gerne als **Sechsachteltakt** geschrieben. Dabei werden das erste Achtel stärker und das vierte Achtel schwächer betont.

Die Achtelpause 𝄾

Hier hat die zweite Stimme kurze Pausen so lang wie eine Achtelnote. Sie heißen daher **Achtelpausen**.

Volksweise 1849, Satz: R.B.

* Treuenbrietzen ist eine Stadt in Brandenburg.

© 2004 Schott Musik International, Mainz

Tipp: Eine **Moritat** ist ein Lied mit einer schaurigen Geschichte in ganz vielen Strophen – auch dieses Lied hat noch weitere. Bänkelsänger zeigen dazu auf einer Leinwand passende selbst gemalte Bilder.

Eine Seefahrt, die ist lustig

Volksweise, Satz: R.B.

Tipp: Übe dieses Lied immer rascher, bis du nur noch alle zwei Takte beim Komma oder Punkt Atem holen musst.

Die Synkope

Besonders schwungvoll wird manches Lied durch eine Betonung, die zu früh kommt. Musiker nennen das **Synkope**.
Im nächsten Lied kommt in einigen Takten der dritte Schlag zu früh!

Mache dazu folgende **Übung**: Gehe mit Schritten in Viertelnoten (Hälse nach unten) und klatsche dazu mehrmals jeden Doppeltakt (Hälse nach oben). Sprich dazu laut die Zählzeiten!

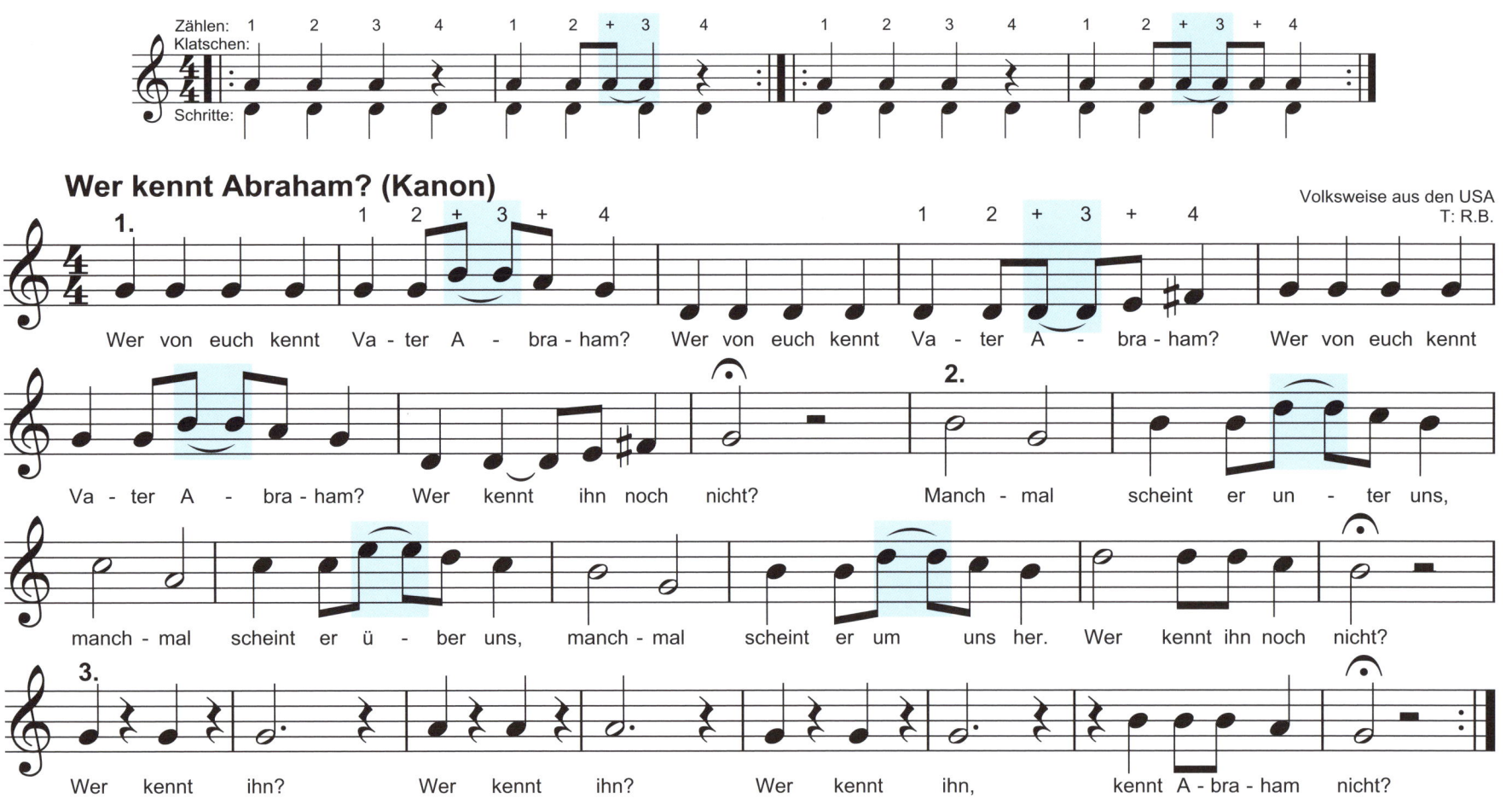

Der Bindebogen

Beim Singen kommen häufig zwei oder mehr Töne auf einen Wortteil. Auch beim Flöten werden manchmal mehrere Töne verbunden gespielt. Das bedeutet, dass die Finger während eines einzigen „dü" zu einem anderen Griff wechseln. Ein Bogen, der **Bindebogen**, zeigt an, welche Töne auf ein einziges „dü" kommen. Im Gegensatz zum Haltebogen verbindet der Bindebogen also verschiedene Töne (siehe im ersten Heft des ‚Flötenzirkus', Seite 66).

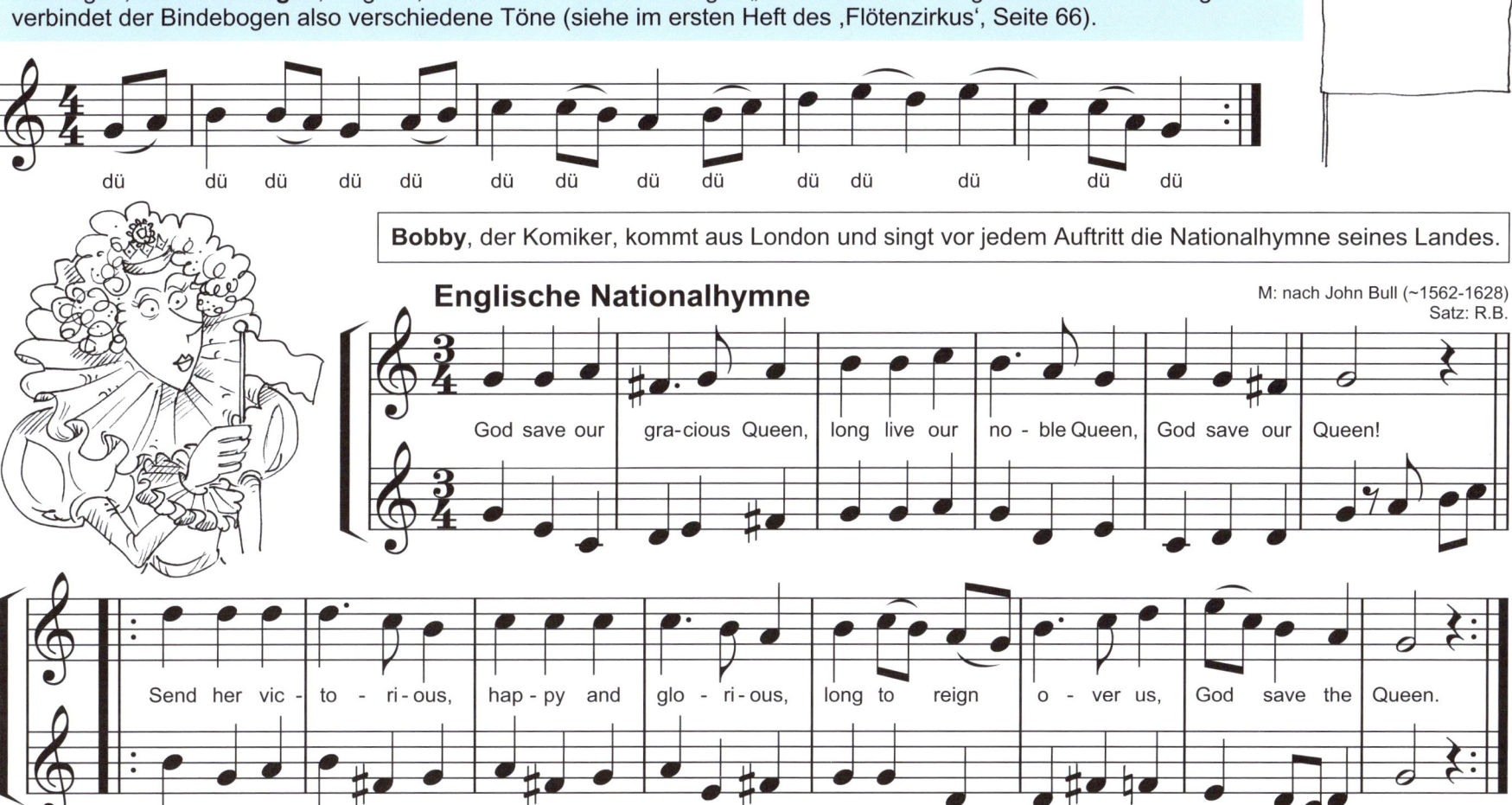

Bobby, der Komiker, kommt aus London und singt vor jedem Auftritt die Nationalhymne seines Landes.

Englische Nationalhymne

M: nach John Bull (~1562-1628)
Satz: R.B.

God save our gra-cious Queen, long live our no-ble Queen, God save our Queen!
Send her vic-to-ri-ous, hap-py and glo-ri-ous, long to reign o-ver us, God save the Queen.

© 2004 Schott Musik International, Mainz

Tipp: Gibt es in England statt einer Königin einen König, so wird einfach ‚King' statt ‚Queen' und ‚him' statt ‚her' gesungen.

M: Ludwig van Beethoven (1770-1827)
Satz & T: R.B.

Fahrender Händler

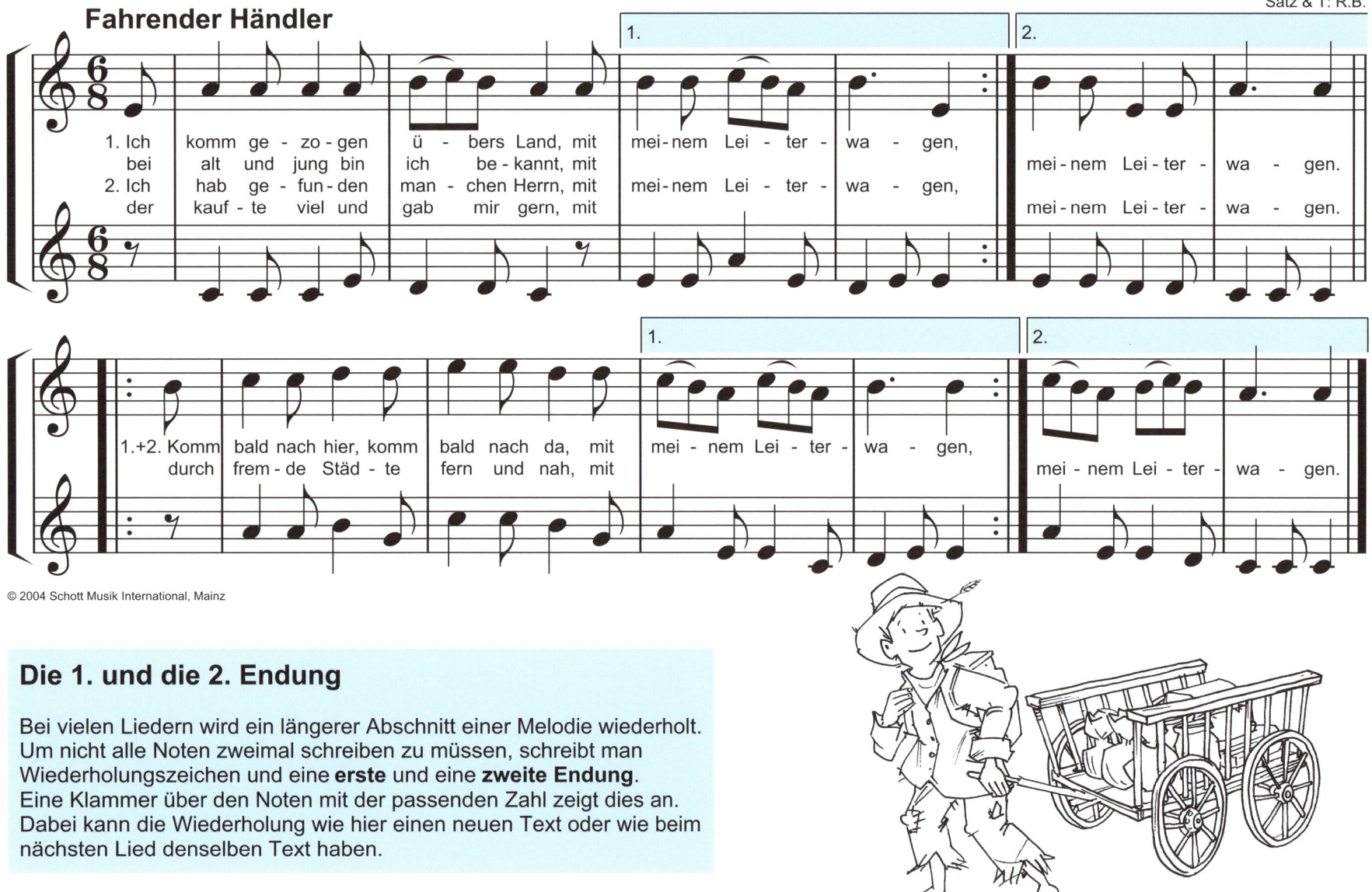

Die 1. und die 2. Endung

Bei vielen Liedern wird ein längerer Abschnitt einer Melodie wiederholt. Um nicht alle Noten zweimal schreiben zu müssen, schreibt man Wiederholungszeichen und eine **erste** und eine **zweite** Endung. Eine Klammer über den Noten mit der passenden Zahl zeigt dies an. Dabei kann die Wiederholung wie hier einen neuen Text oder wie beim nächsten Lied denselben Text haben.

Antonia, die italienische Eisverkäuferin, ist immer fröhlich und singt ein Fischerlied aus ihrer Heimatstadt Neapel. Sie hat es von ihrem Vater gelernt, der früher als Gondoliere arbeitete.

Santa Lucia

Volkslied aus Neapel (Italien), um 1850
Satz: R.B.

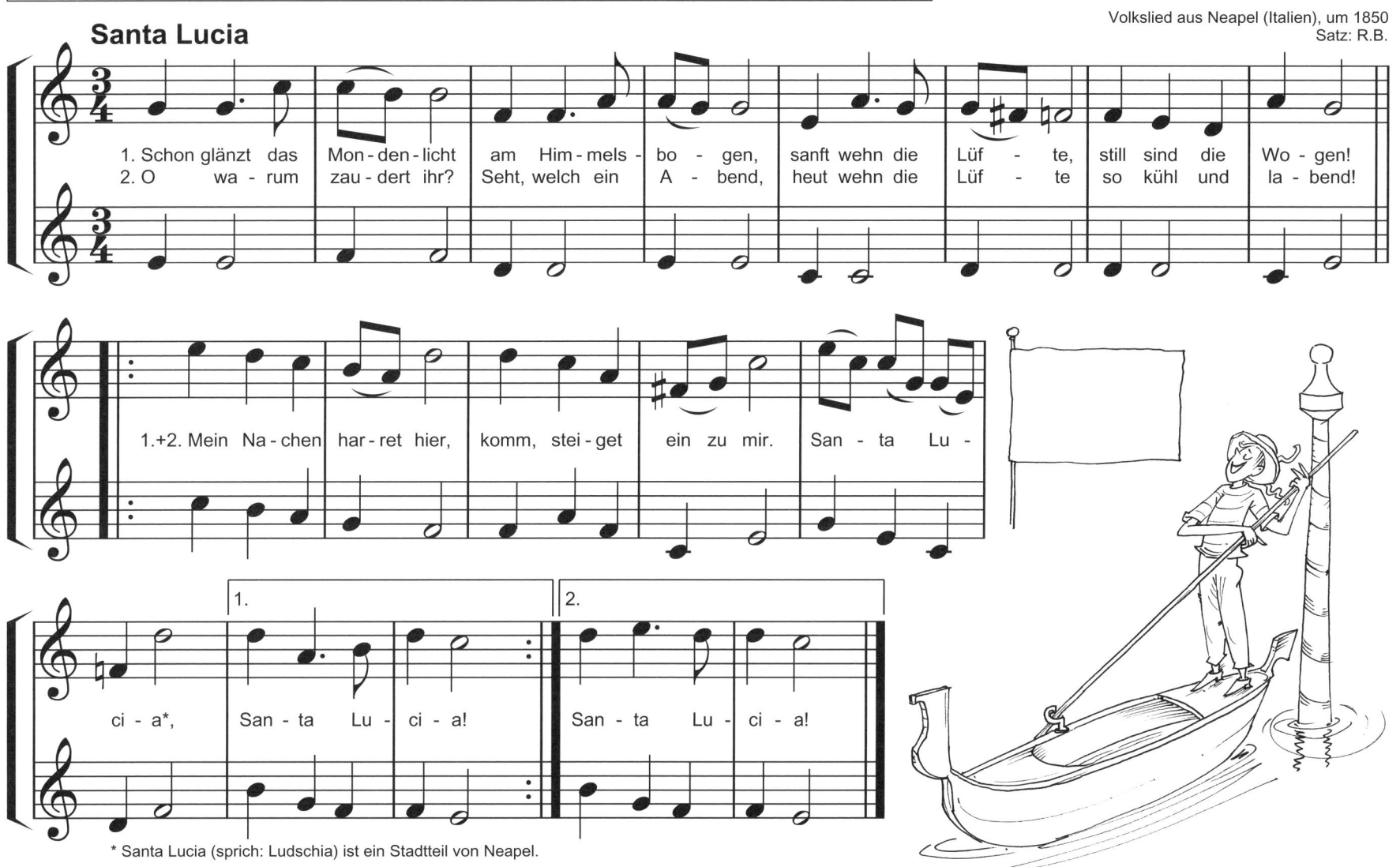

1. Schon glänzt das Mondenlicht am Himmelsbogen, sanft wehn die Lüfte, still sind die Wogen!
2. O warum zaudert ihr? Seht, welch ein Abend, heut wehn die Lüfte so kühl und labend!

1.+2. Mein Nachen harret hier, komm, steiget ein zu mir. Santa Lucia*, Santa Lucia! Santa Lucia!

* Santa Lucia (sprich: Ludschia) ist ein Stadtteil von Neapel.

Das hohe g

Greife zuerst wie bisher beim g, das wir ab jetzt das tiefe g nennen wollen. Dann stellst du wie beim hohen e den Daumen etwas steiler und lässt am hinteren Griffloch einen kleinen Spalt offen.

Gemsenlied

R.B.

Holl - dri - o! Klingt es froh von dem höch - sten Ber - ge.
Kei - ne Spur! Da ruft nur ei - ne Gem - sen - mut - ter,

Don - ner - hall? E - cho - schall? Rie - sen o - der Zwer - ge?
die ge - schwind ih - rem Kind zeigt das bes - te Fut - ter!

Peter, der Schweizer aus Zermatt, ist ein toller Kletterer. Am Trapez zeigt er jeden Abend, was er in den Bergen seiner Heimat geübt hat.

© 2004 Schott Musik International, Mainz

Miteinander

R.B.

Will-kommen und wel-come, ciao und bien-ve-nue, so grüßt der Di-rek-tor hier die Kom-pa-nie.
Von ü-ber-all her sind Ar-tis-ten zu sehn, hier ist kei-ner fremd, und das fin-den sie schön.

© 2004 Schott Musik International, Mainz

Mein Hut, der hat drei Ecken

Volkslied aus Neapel (Italien)
Satz: R.B.

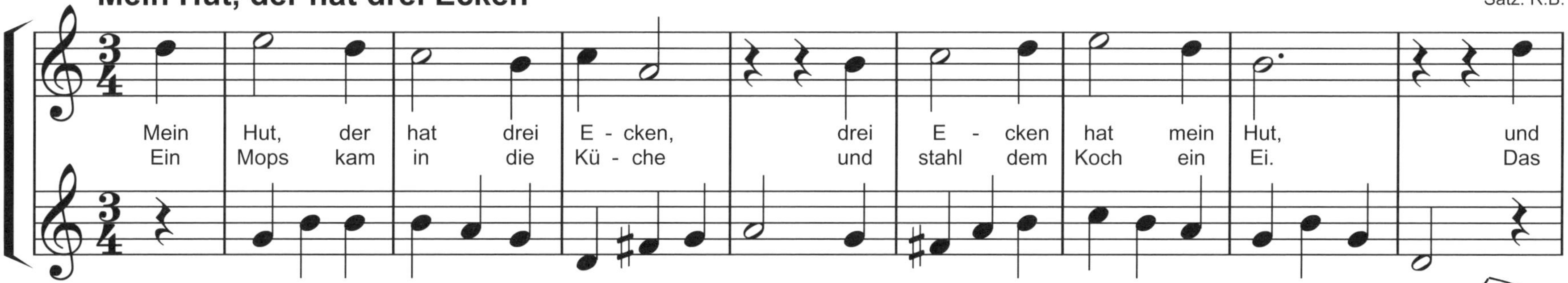

Mein Hut, der hat drei E-cken, drei E-cken hat mein Hut, und
Ein Mops kam in die Kü-che und stahl dem Koch ein Ei. Das

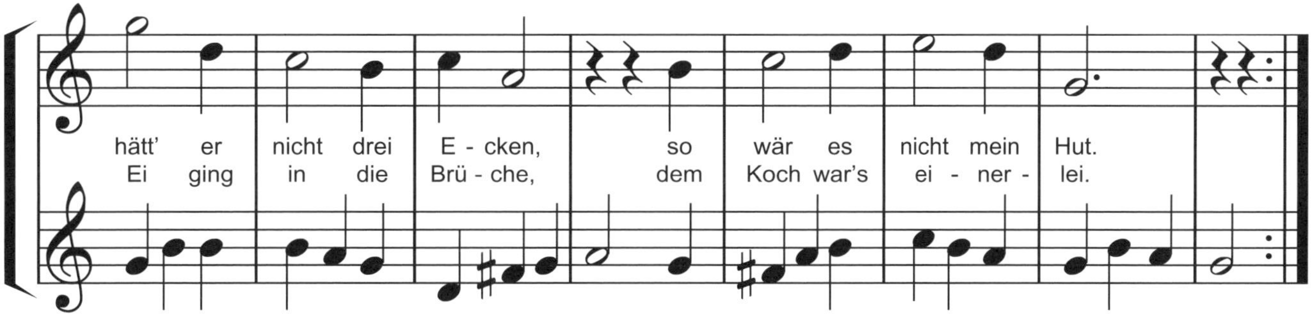

hätt' er nicht drei E-cken, so wär es nicht mein Hut.
Ei ging in die Brü-che, dem Koch war's ei-ner-lei.

© 2004 Schott Musik International, Mainz

27

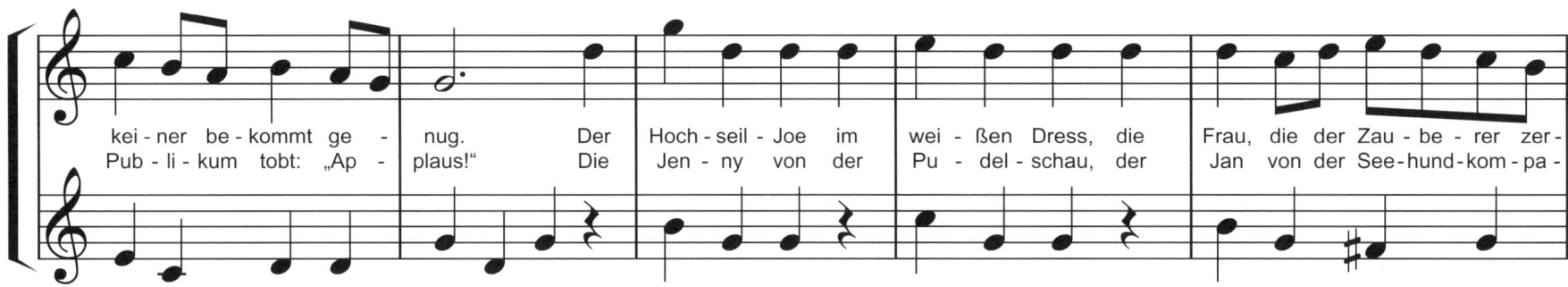
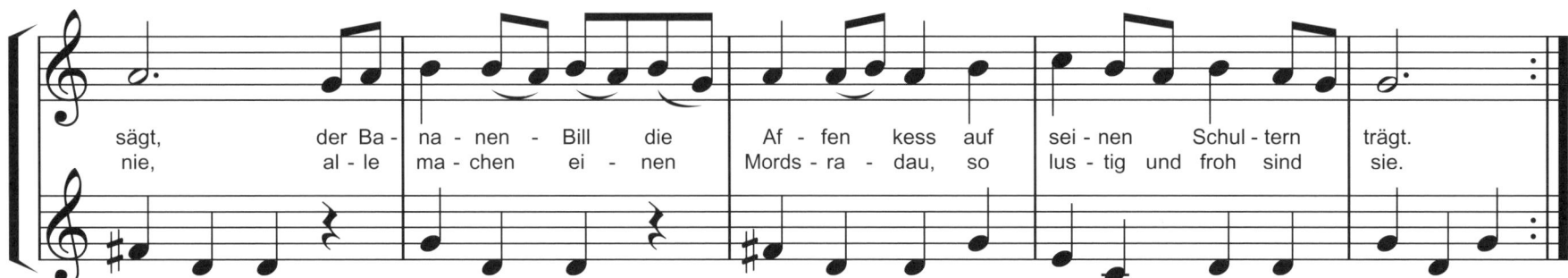

Tipp: Dieses Lied ist leichter zu singen, wenn du mit dem tiefen c beginnst. Versuche auch, es so zu spielen!

Alle Vögel sind schon da

Volkslied aus Schlesien, Satz: R.B.
T: Heinrich Hoffmann von Fallersleben (1798-1874)

Al - le Vö - gel sind schon da, al - le Vö - gel al - le!
Wie sie al - le lus - tig sind, flink und froh sich re - gen!

Welch ein Sin - gen, Mu - si - zier'n, Pfei - fen, Zwit - schern, Ti - ri - lier'n!
Am - sel, Dros - sel, Fink und Star und die gan - ze Vo - gel - schar

Früh - ling will nun ein - mar - schier'n, kommt mit Sang und Schal - le.
wün - schen dir ein fro - hes Jahr, lau - ter Heil und Se - gen.

© 2004 Schott Musik International, Mainz

Die C-Dur-Tonleiter

Spiele die Töne vom **tiefen c** zum **hohen c** aufwärts und abwärts:

Eben hast du deine erste Tonleiter gespielt. Eine **Tonleiter** ist eine Folge von acht Tönen mit genau festgelegten Tonschritten. Dies hier ist eine **C-Dur-Tonleiter**.

Versuche, die Tonleiter einmal mit fis statt f zu spielen und höre den Unterschied. Spiele die Tonleiter jetzt wieder richtig! Welches Kinderlied beginnt wie die Tonleiter?

Halbton und Ganzton

Spiele jetzt die C-Dur-Tonleiter noch einmal. Wenn du genau hinhörst, stellst du fest, dass nicht alle Tonschritte gleich klingen. Sie sind verschieden groß, denn es gibt darunter **Ganztöne** und **Halbtöne**.
Die Schritte von **e zu f** und von **h zu c** sind kleiner als die anderen und daher **Halbtöne**. Umkreise sie in der Tonleiter. **Alle anderen** Schritte sind **Ganztöne**.

Ganzton und Halbton sind besonders gut zu unterscheiden, wenn sie am Beginn eines Liedes stehen. Das Lied ‚Kommt ein Vogel geflogen' (Seite 9) beginnt mit einem **Halbton aufwärts** und ‚Der Mai ist gekommen' (Seite 15) mit einem **Ganzton aufwärts**.

Prüfe, ob die folgenden Tonschritte Halbtöne oder Ganztöne sind, indem du versuchst, den Anfang von ‚Kommt ein Vogel geflogen' (Seite 9) und ‚Der Mai ist gekommen' (Seite 15) mit diesen Tönen zu spielen:

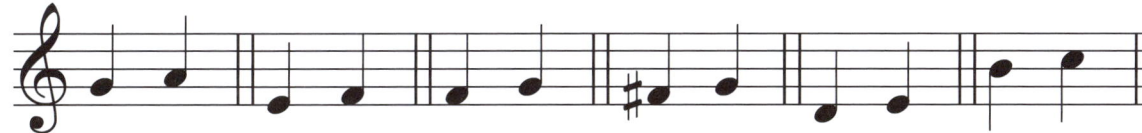

Suche unter den bisherigen Liedern solche, die mit einem Halbton oder mit einem Ganzton beginnen, ganz gleich, ob aufwärts oder abwärts. Die richtigen Antworten findest du auf Seite 36.

Der Ton b

Das ♭

Die Schwester des Tones **h** heißt in der Musik **b**. Beide haben den Notenkopf auf derselben Linie, gehören also zur selben Tonfamilie und unterscheiden sich nur durch ein Vorzeichen, das man wegen seiner Ähnlichkeit mit dem Buchstaben ♭ nennt. Es gilt wie jedes Vorzeichen immer bis zum Ende des Taktes.

Bärenlied

R.B.

Blau-bee-ren mag der Bär, Blau-bee-ren mag das Reh, Blau-bee-ren mö-gen al-le Kin-der. Blau-bee-ren-ku-chen und
Blau-bä-ren mag der Bert, Blau-bä-ren mag Ba-bett', Blau-bä-ren mö-gen al-le Bär-chen. Blau-bär-ge-schich-ten sind

Blau-bee-ren-cre-me macht blau-bee-ren-blau-e Zähn' und Mün-der.
Blau-bä-ren-lü-gen, doch blau-bä-ren-schlau-e schö-ne Mär-chen.

© 2004 Schott Musik International, Mainz

Tipp: Dieser **Sechsertakt** ist ein dreifacher Zweiertakt. Dabei werden der erste Schlag stärker und der dritte und fünfte Schlag schwächer betont (vergleiche mit Seite 44).

Tipp: Noch gespenstischer wirkt dieser Kanon, wenn er durch taktweises Einsetzen sechstimmig erklingt!

Geisterstunde (Kanon)

Volksweise aus Frankreich, 17. Jhdt.
Satz & T: R.B.

Näch-tens flie-gen Fle-der-mäu-se, ein-sam heu-len Eu-len lei-se und der Troll im Wal-de gähnt.

© 2004 Schott Musik International, Mainz

Tipp:
Wird ein **Vorzeichen** im ganzen Lied gebraucht, so schreibt man es nur einmal am Beginn jeder Notenzeile direkt **hinter den Notenschlüssel**. Es gilt dann für die ganze Zeile. Umkreise in beiden Stimmen alle Töne **b**.

Kumbaya

Abendgebet aus Afrika
Satz & dt.T.: R.B.

Kum-ba-ya, my Lord, Kum-ba-ya, Kum-ba-ya, my Lord, Kum-ba-ya, Kum-ba-ya, my Lord, Kum-ba-ya, o Lord, Kum-ba-ya.
Hör mein Bit-ten, Herr, hör mich an, hör mein Bit-ten, Herr, hör mich an, hör mein Bit-ten, Herr, hör mich an, o Herr, hör mich an.

Zamundo, der Trommler, singt abends das uralte Gebet, das er von seinem afrikanischen Großvater gelernt hat.

© 2004 Schott Musik International, Mainz

© 2004 Schott Musik International, Mainz

Spieltipp:
Alle sitzen im Kreis und geben ein Geldstück oder einen anderen kleinen Gegenstand weiter. Wer begonnen hat, muss erraten, welches Kind den Taler gerade in der Hand hat. Liegt er falsch, darf der Taler weiter wandern. Liegt er richtig, darf er den Taler neu losschicken, aber jetzt in die andere Richtung. Schwieriger wird es, wenn erlaubt wird, dass man auch nur so tun darf, als ob man den Taler weitergibt!

Tonrätsel:
Spiele das Geburtstagslied von Seite 9 beginnend mit dem tiefen c, also alles um einen Ton tiefer. An welcher Stelle brauchst du nun den Ton b?

Antworten zu Seite 33:
Kinderlied mit Tonleiterbeginn: Alle meine Entchen (erstes Heft ‚Flötenzirkus', Seite 65).
Halbtöne sind die Tonschritte der Takte 2 (von **e zu f**), 4 (von **fis zu g**) und 6 (von **h zu c**).
Lieder, die mit einem **Halbton aufwärts** beginnen, stehen auf den Seiten 4 und 19, solche, die mit einem **Halbton abwärts** beginnen, auf den Seiten 8 und 14 (unten).
Lieder, die mit einem **Ganzton aufwärts** beginnen, stehen auf den Seiten 5, 6 (oben), 6 (unten), 9 (unten), 14 (oben), 21, 23, 27 (unten) und 28,
solche, die mit einem **Ganzton abwärts** beginnen, auf den Seiten 6 (Mitte) und 18.

Neue Synkopenübung:
Gehe wie auf Seite 20 wieder in Vierteln, klatsche und zähle laut dazu.

Escondido

Kinderlied aus Argentinien, Satz & T: R.B.

1. Es-con-di-do, hab ge-se-hen, wo du dich vor mir ver-steckt.
   Es-con-di-do, hab ver-stan-den, was du wie-der aus-ge-heckt.
2. Es-con-di-do, will noch war-ten und dann auf die Su-che gehn.
   Es-con-di-do, dort im Gar-ten kann ich dei-ne Müt-ze sehn.

Es-con-di-do ist hier! Es-con-di-do ist da!
Es-con-di-do ist da! Es-con-di-do ist hier!

Al-les um mich bleibt stil-le, doch bin ich dir schon nah!
Ich ha-be dich ge-fun-den, drum tau-sche nun mit mir!

Escondido, der Sohn des Trampolinspringers, spielt am liebsten zwischen den Zirkuswagen Verstecken. Wenn er einmal groß ist, will er Tango tanzen lernen, den beliebten Tanz seiner Heimat Argentinien.

© 2004 Schott Musik International, Mainz

Tipp: Erinnere dich: Ein Vorzeichen, das nicht am Notenschlüssel steht, gilt immer bis zum Ende des Taktes.

Musikalische Worte

Ergänze die fehlenden fünf Töne **abwärts** als Viertelnoten so, wie es der Liedtext vorgibt. Schau im Verlauf des Liedes nach, ob ein Ton den Notenhals aufwärts oder abwärts hat.

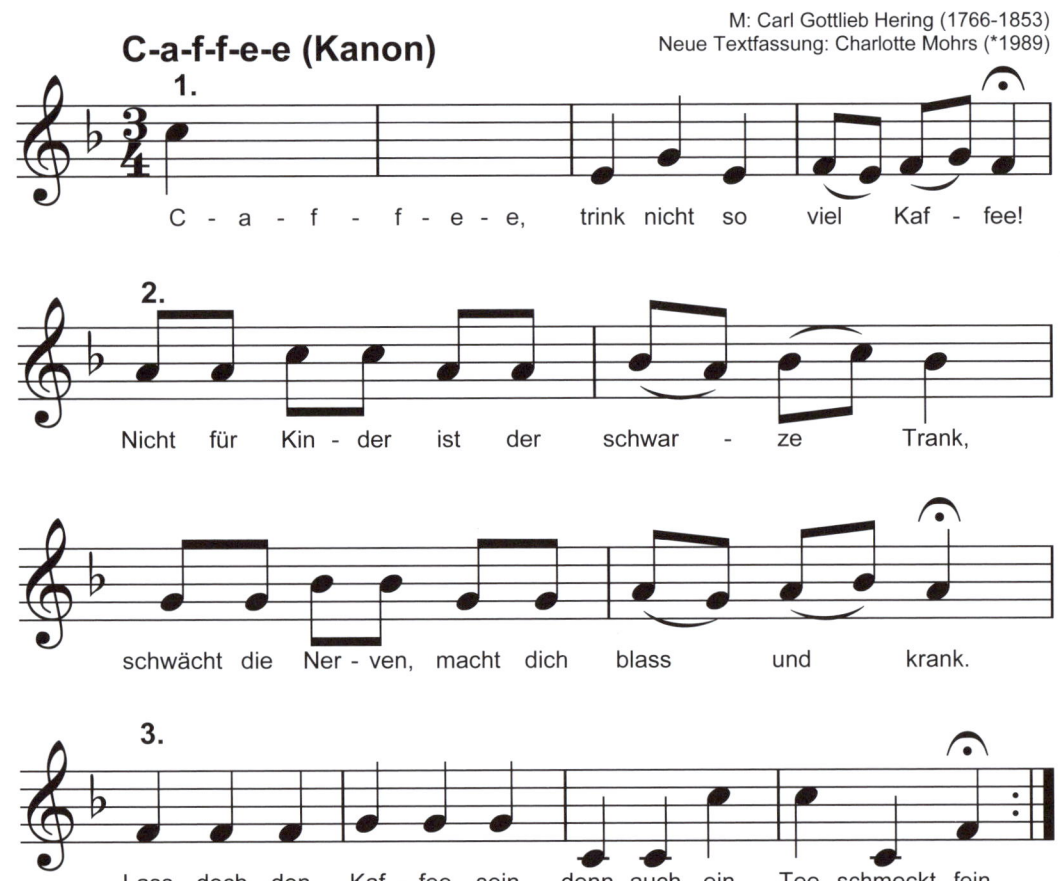

C-a-f-f-e-e (Kanon)
M: Carl Gottlieb Hering (1766-1853)
Neue Textfassung: Charlotte Mohrs (*1989)

© 2004 Schott Musik International, Mainz

Musikalische Wortspiele

Übertrage die in Noten angegebenen Hauptworte in Buchstaben und die in Buchstaben angegebenen Worte in Noten. Spiele sie!

Spieltipp: Ein Kind spielt ein Wort, ein anderes muss es hörend erkennen.

Die punktierte Achtelnote mit Sechzehntelnote

Eine Viertelnote kann statt in zwei gleich lange Achtel auch in eine längere und eine kürzere Note geteilt werden. Hier heißt die **längere** dann **punktierte Achtelnote**, die **kürzere Sechzehntelnote**, weil sie nur halb so lang wie eine Achtel dauert. Die Länge der Balken über den Noten rechts zeigt die verschiedene Unterteilung der Viertelnoten an.

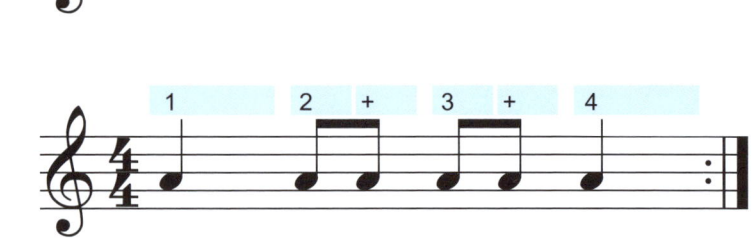

lang kurz gleich lang

gleich lang lang kurz

Tipp:
Spiele als Übung das Geburtstagslied von Seite 9 so, dass du immer statt der zwei gleich langen Achtel das erste Achtel länger und das zweite Achtel kürzer spielst. Der Anfang ist rechts in Noten angegeben. Besonders bekannt ist dieser Rhythmus aus dem Weihnachtslied ‚O Tannenbaum' (siehe Seite 45).

Happy birthday to you

Hoch soll er leben

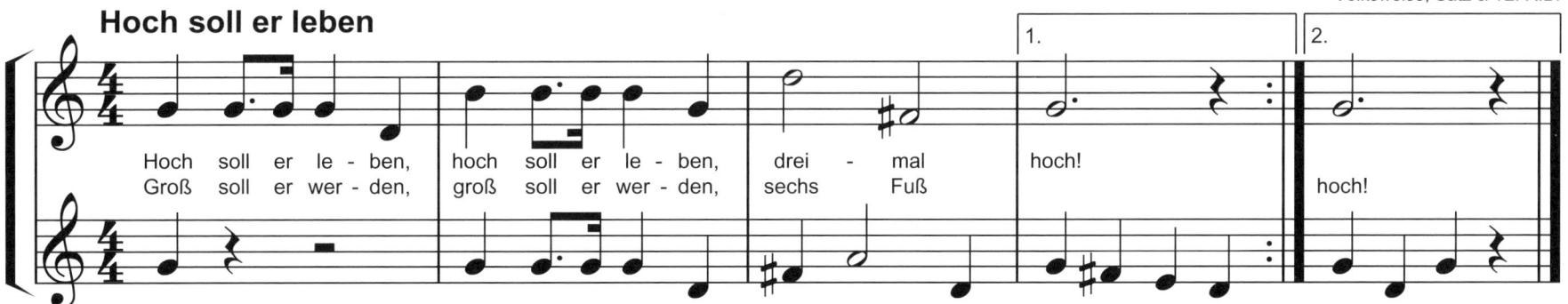

Goldrausch

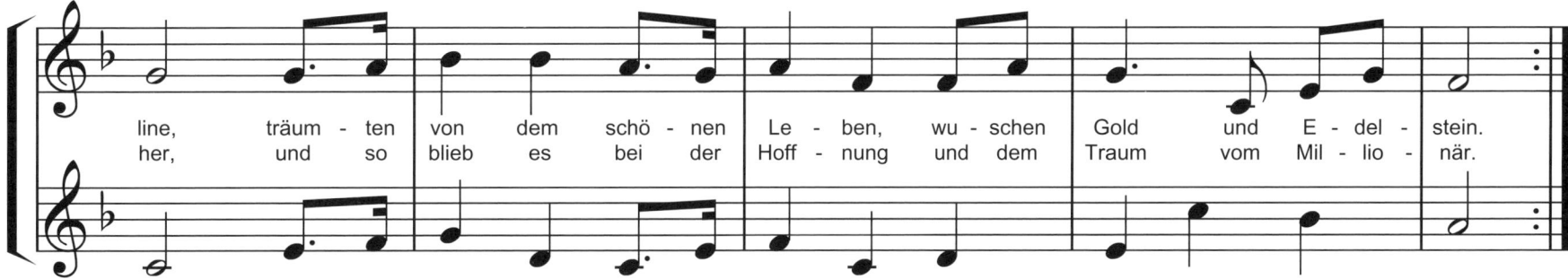

Advent

Tipp: Dieser **Sechsertakt** ist ein doppelter Dreiertakt mit Betonungen auf dem ersten und vierten Schlag (vergleiche mit Seite 34). Beachte, dass das Auflösungszeichen auch ein Vorzeichen aufhebt, welches am Notenschlüssel steht, aber nur bis zum Taktstrich.

Weihnachten

O Tannenbaum

Volksweise, Satz: R.B.
T1: August Zarnack 1820, T2: Ernst Anschütz 1824

O Tannenbaum, o Tannenbaum, wie grün sind deine Blätter! Du
O Tannenbaum, o Tannenbaum, dein Kleid will mich was lehren: Die

grünst nicht nur zur Sommerszeit, nein auch im Winter, wenn es schneit. O
Hoffnung und Beständigkeit gibt Trost und Kraft zu jeder Zeit. O

Tannenbaum, o Tannenbaum, wie grün sind deine Blätter.
Tannenbaum, o Tannenbaum, dein Kleid will mich was lehren.

© 2004 Schott Musik International, Mainz

Das hohe f

deutsche Griffweise barocke Griffweise

Jetzt wollen wir den bisherigen Ton f **tiefes f** nennen.
Für **das hohe f** muss der Daumen wieder einen Spalt
offen lassen. Die übrigen Finger greifen wie beim tiefen f.
Bei der barocken Griffweise muss dann aber der kleine
Finger der rechten Hand das Griffloch geöffnet lassen.

Fliege Franz

R.B.

Flie - ge Franz lädt zum Tanz und saust durch die Lüf - te.
Flie - ger Frank füllt den Tank und hebt ab am Mor - gen.

Braucht nicht viel für ihr Ziel, sucht die fein - sten Düf - te.
Hat Ge - schick und auch Glück, macht sich kei - ne Sor - gen.

© 2004 Schott Musik International, Mainz

Tipp: Die Noten mit Kreuzchen als Notenkopf sollen **gesprochen** werden. Der Cha-Cha-Cha ist ein Tanz, der Mitte des 20. Jahrhunderts in Kuba entstand. Er wird bei Tanzwettbewerben getanzt, sogar bei Weltmeisterschaften!

Pudel-Cha-Cha-Cha

Schreibe die fehlenden drei Töne aufwärts als Viertelnoten. Beachte, dass das a den Notenhals aufwärts erhält, b und c dagegen den Hals abwärts.

Ivo, der kroatische Koch, denkt am heißen Imbissstand neben dem Zirkuszelt gerne an die kühle Brise, die stets bei seinem Elternhaus in Dubrovnik am Mittelmeer weht.

Lautstärken

In der Musik werden manchmal verschiedene Lautstärken angegeben.
Sie werden mit der Abkürzung der italienischen Bezeichnungen notiert.
Die häufigsten Angaben sind:

leise	=	**p**iano	p
halblaut	=	**m**ezzo**f**orte	mf
laut	=	**f**orte	f

Jenny von der Pudelschau kommt aus Jamaika, einer karibischen Insel mit weißem Sandstrand, blauem Meer und hohen Kokospalmen. Früher hat sie dort in Kingston als Tänzerin gearbeitet, und das Tanzen liegt ihr noch immer im Blut.

Karibischer Tanz

R.B.

Spielweisen

Manchmal wird auch die Spielweise der Töne genauer angegeben,
Damit kann ein Stück interessanter klingen. Häufig verwendet werden:

>   Betonung (Akzent), Stärke je nach Lautstärke

.   kurz (staccato)

⌢   gebunden (legato), schon als Bindebogen bekannt

Tipp: Dieser Tanz soll sehr rasch sein. Steigere beim Üben allmählich das Tempo! Versuche durch die Lautstärken zu zeigen, wie die ‚Herrin' sehr aufbrausend und sofort wieder sanft sein kann!

Natascha von der russischen Schleuderbrettgruppe aus Moskau kann besonders schnell und wild tanzen!

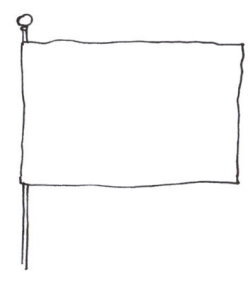

Russischer Tanz (Herrin und Gebieterin)

Volksweise aus Russland
Satz: R.B.

© 2004 Schott Musik International, Mainz

Tipp: Die Courante war ein beliebter Tanz im 16. und 17. Jahrhundert. Ihr Sechsertakt ist ein doppelter Dreiertakt (siehe Seite 45).

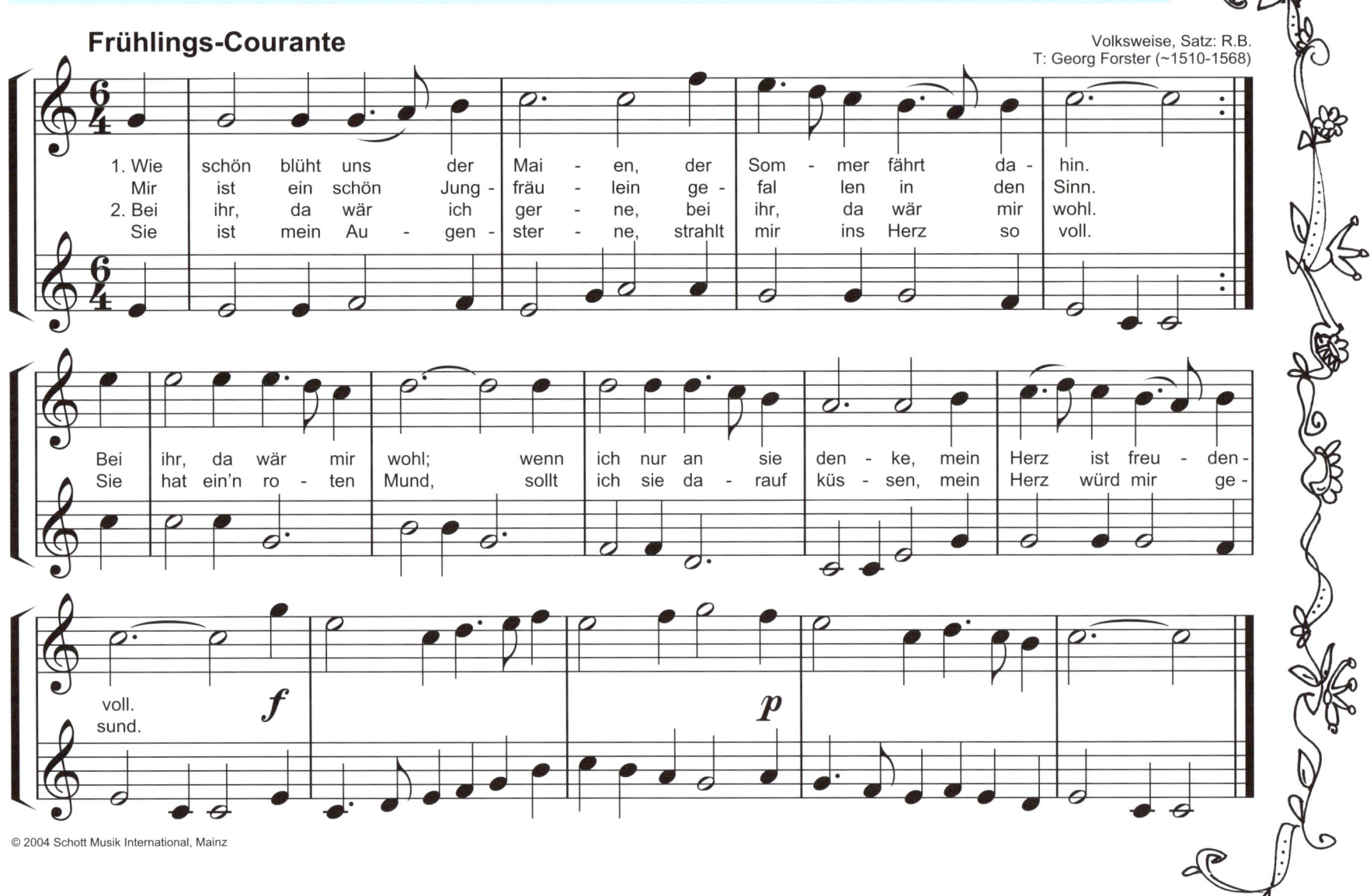

Musik berühmter Komponisten

Ein **Komponist** ist ein Musik-Erfinder, also ein Erfinder von Melodien, Taktarten und so weiter. Viele Komponisten erfinden Musik zu Texten von bekannten **Dichtern**, den Text-Erfindern. Aber nicht immer muss Musik einen Text haben.

Vor etwa zweihundertfünfzig Jahren lebte **Wolfgang Amadeus Mozart**. Er hat schon im Alter von fünf Jahren sein erstes Musikstück komponiert, ein Menuett für Klavier, einen damaligen Modetanz. Er konnte ihn selbst auf dem Klavier spielen.

Ein Lehrer Mozarts und selbst berühmter Musiker namens **Joseph Haydn** komponierte eine feierliche Hymne für den Kaiser von Österreich. Mit einem neuen Text wurde diese Melodie später zur deutschen Nationalhymne.

Melodien von zwei anderen berühmten Komponisten hast du bereits kennen gelernt: **Ludwig van Beethoven** (Seite 24, später noch Seite 80) und **Johann Sebastian Bach** (Seite 28, später noch Seite 73).

Nachtigallenkanon

M & T: Joseph Haydn (1732-1809) zugeschrieben

1. Al - les schwei - get, Nach - ti - gal - len
2. lo - cken mit sü - ßen Me - lo - di - en Trä - nen ins Au - ge, Schwer - mut ins Herz,
3. lo - cken mit sü - ßen Me - lo - di - en Trä - nen ins Au - ge, Schwer - mut ins Herz.

© 2004 Schott Musik International, Mainz

Wiegenlied

M: Johannes Brahms (1833-1897), Satz: R.B.
T1: aus „Des Knaben Wunderhorn“, T2: Georg Scherer 1849

* Kleine Gewürznelken, die man früher unter das Kissen legte, um besser schlafen zu können.

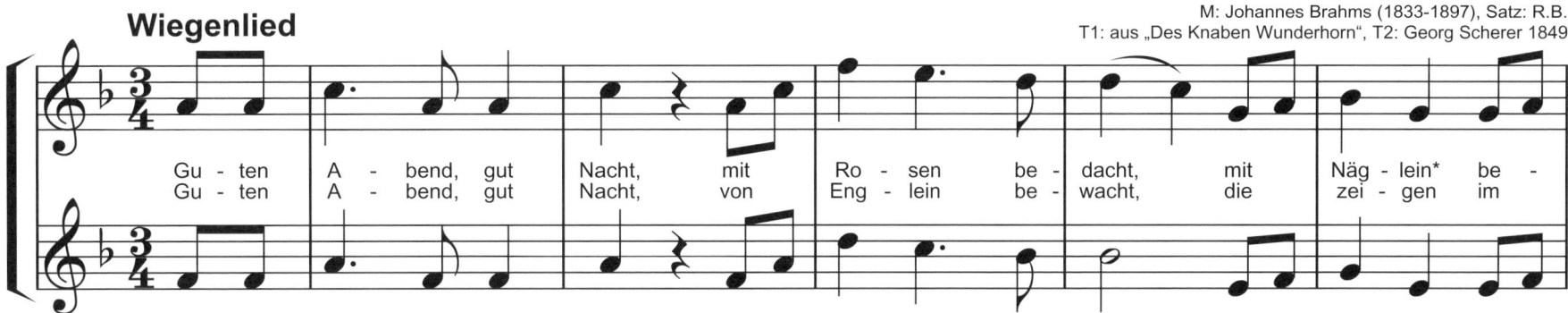

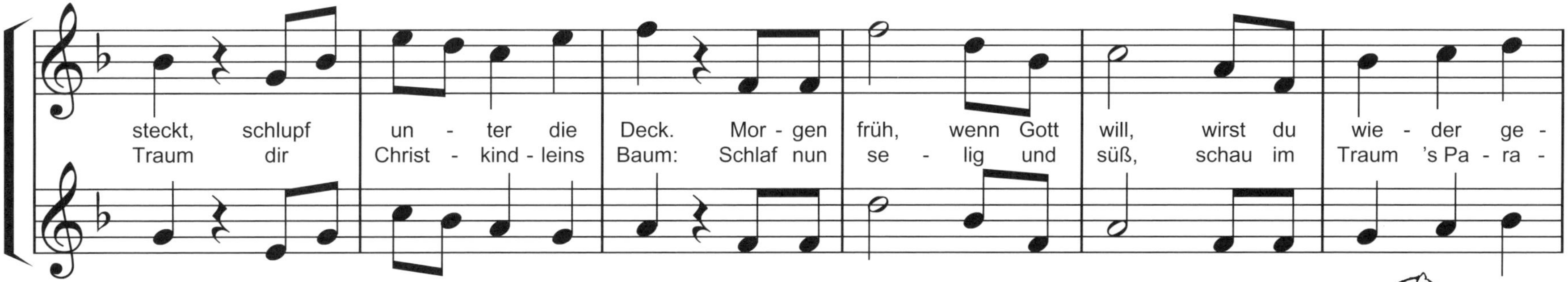

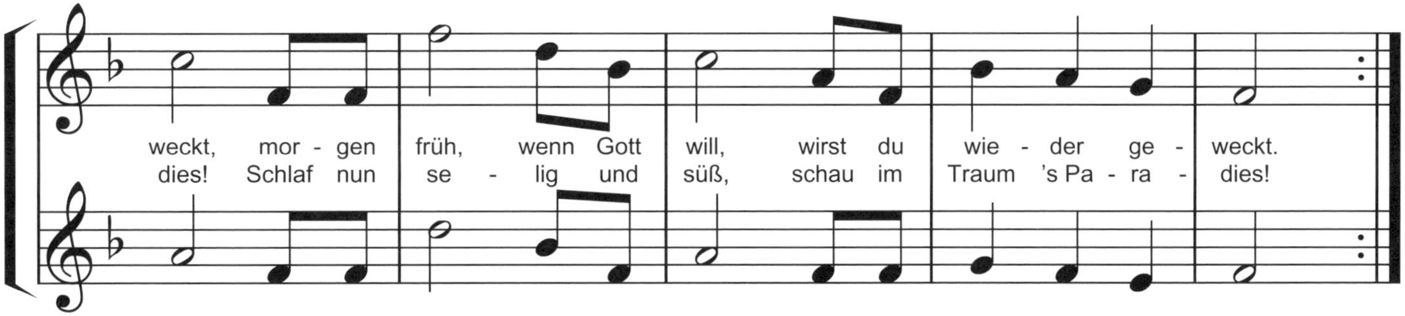

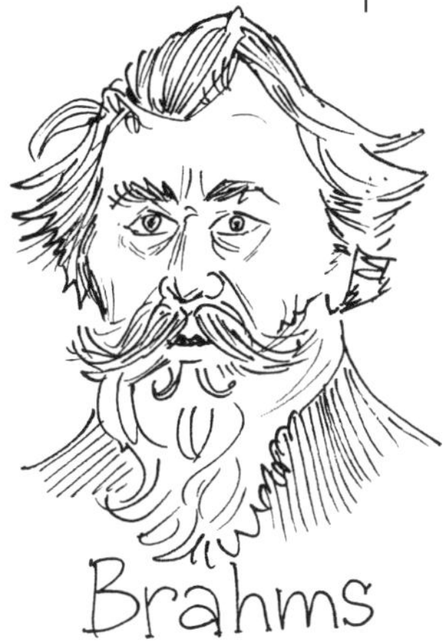

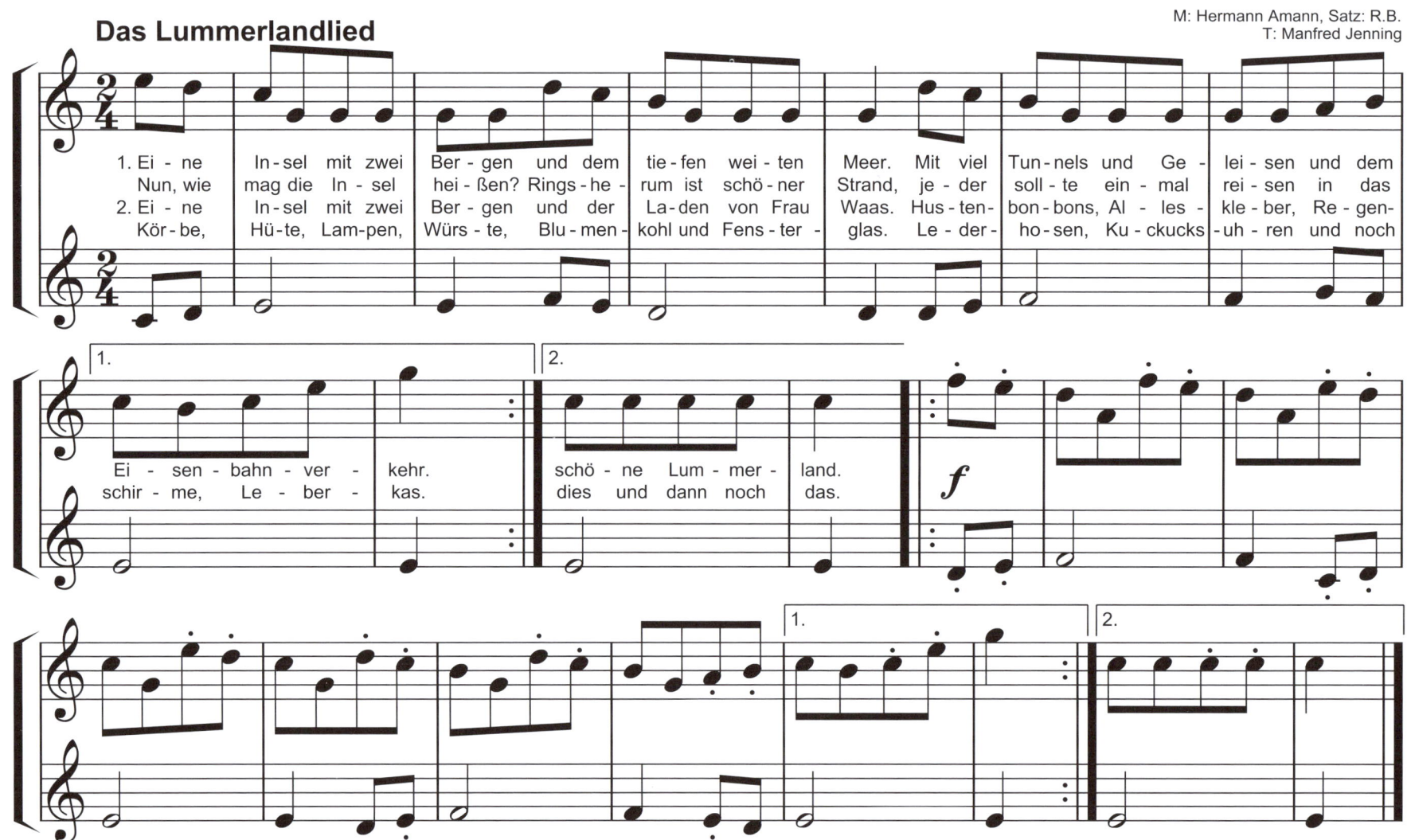

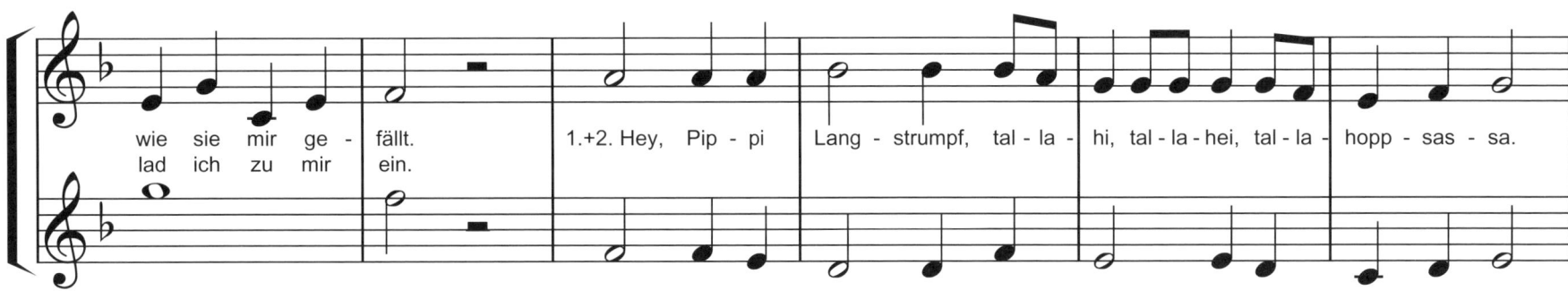

Die F-Dur-Tonleiter

Inzwischen kannst du eine neue Tonleiter spielen, die **F-Dur-Tonleiter**.
Auch sie hat acht Stufen aus Ganztönen und Halbtönen.
Spiele und singe sie. Beachte dabei die neuen **Halbtöne** von **a zu b**
und vom **hohen e zum hohen f** und umkreise sie.

Schreibe nun die F-Dur-Tonleiter **abwärts** wie auf Seite 33 und spiele sie
dann aufwärts und abwärts. Spiele von f aus auch ‚Alle meine Entchen'.

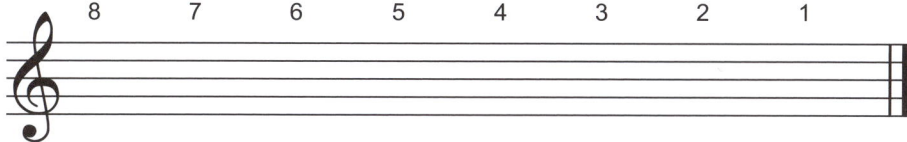

Versuche, die Tonleiter einmal mit h statt b zu spielen und höre den
Unterschied. Spiele jetzt die Tonleiter wieder richtig!

Tipp: Wenn du bei beiden Tonleitern C-Dur (Seite 33) und F-Dur die
Halbtöne richtig markiert hast, stellst du fest, dass sie beide Male zwischen
der **dritten und vierten** sowie der **siebten und achten** Tonstufe liegen.

Der Ton cis

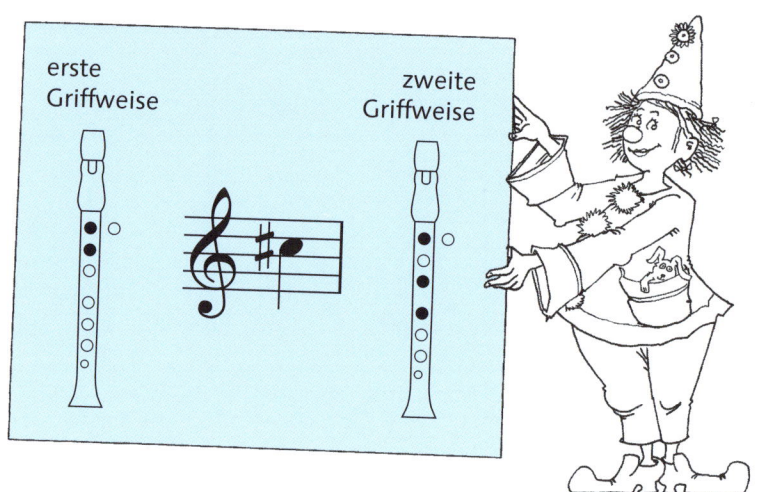

Es gibt mehrere Griffweisen für das **cis**. Bei der ersten greift man ein a und lässt dabei das Daumenloch offen. Bei der zweiten greift man ein b und lässt das Daumenloch offen. Je nach Verlauf der Melodie wählt man den leichteren Griff.

Cisterklänge

R.B.

1. Griff — 2. Griff — 2. Griff

Lang zu-rück, das war schick, spiel-te man die Cis-ter.
Im O-rient man sie kennt seit dem Mit-tel-al-ter.
Klang so fein, weil sie ein Gi-tar-ren-ge-schwis-ter.
Im Ba-zar hört' man gar sie mit Harf' und Psal-ter.

© 2004 Schott Musik International, Mainz

Tipp: Denk daran, ein Vorzeichen gilt bis zum Taktende!

Schnellimbiss

R.B.

Er kam aus Anatolien kauft den Döner in Folien.
Er kann wie auch die Griechen keine Currywurst riechen.

© 2004 Schott Musik International, Mainz

Gärtnerlied

R.B.

Hinter einer Wiese liegt mein Blumenbeet, wo ich täglich gieße, was von mir gesät.
Damit alles sprieße, hege ich es gut, manchmal auch Gemüse, wie es jeder tut.

Tulpen oder Nelken, auch die Primelein, dass sie nicht verwelken, will ich fleißig sein.
Möhren und Tomaten, Gurken, Petersil', dass sie schön geraten, ist mein Lebensziel.

© 2004 Schott Musik International, Mainz

Carlos, der Kartenverkäufer, tanzt gerne stolz wie ein Torero – ein spanischer Stierkämpfer. Den Mädchen gefällt das sehr. Alle acht Takte ändert er die Tanzschritte etwas ab, genauso, wie sich die Musik in jeder Zeile leicht verändert.

Torerotanz

Volksweise aus Spanien
Satz: R.B.

Tipp: Musiker sagen statt ‚Veränderung' auch ‚Variation'!

Der Ton es

Auch das hohe e hat eine Schwester mit einem ♭ als Vorzeichen, der Ton heißt dann **es** und gehört zur selben Tonfamilie. Greife zunächst ein tiefes d. Öffne dann das Griffloch des linken Zeigefingers und das Daumenloch. Beachte, dass auch dieses Vorzeichen bis zum Ende des Taktes gilt.

Eselsprache

R.B.

E- sel kön- nen nur i- ah, kei- ne an- dern Spra- chen.
Kannst du blö- ken wie ein Schaf, o- der so wie Kü- he?

Kein mi- au und kein wau- wau, da kann man nichts ma- chen.
Wirst doch selbst kein E- sel sein? Al- so gib dir Mü- he!

© 2004 Schott Musik International, Mainz

Fußball-Boogie-Woogie

R.B.

Jim - my steht im Fuß - ball - tor, und will im - mer sie - gen,
Hal - ten will er je - den Schuss, Eck - ball und Elf - me - ter,

Jim - my steht im Fuß - ball - tor, und will im - mer sie - gen.
hal - ten will er je - den Schuss, Eck - ball und Elf - me - ter.

Wenn du schießt aus vol - lem Rohr, kann er den Ball nicht krie - gen.
Wach - sam bleibt er bis zum Schluss, denn träu - men kann er spä - ter.

© 2004 Schott Musik International, Mainz

Tipp:
Der Boogie-Woogie (sprich: buggi-wuggi) ist ein schneller Tanz. Er entstand im frühen 20. Jahrhundert in den USA. Aus ihm wurde später der Rock 'n' Roll.

Weihnachten

O Tannenbaum, du trägst

Volksweise aus Westfalen, um 1812
Satz: R.B.

O Tan - nen - baum, o Tan - nen - baum, du trägst ein'n grü - nen Zweig, den Win - ter, den Som - mer, das dau't die lie - be Zeit.

Wa - rum sollt ich nicht grü - nen, da ich noch grü - nen kann? Ich hab nicht Mut - ter noch Va - ter, der mich ver - sor - gen kann.

© 2004 Schott Musik International, Mainz

Tipp: Werden im Lied immer die Töne **b und es** gebraucht, so schreibt man **beide Vorzeichen am Notenschlüssel**.

© 2004 Schott Musik International, Mainz

Tipp:
Für manche ist dieses Lied besser zu singen, wenn sie mit dem Ton a beginnen. Versuche, das Lied so zu spielen. Dann brauchst du zunächst das f, im fünften Takt aber auch fis und b und danach gleich wieder das f!

Die **Kinder der Zirkusschule** singen manchmal auch so:

*Leise rieselt die Vier
auf das Zeugnispapier.
Hört nur wie lieblich es schallt,
wenn Vaters Ohrfeige knallt!*

71

Auf der Mauer, auf der Lauer

Kinderlied
Satz: R.B.

Tipp: Das Lied singt sich leichter, wenn du mit dem tiefen f beginnst.
Spiele es so und probiere dabei aus, ob dann h oder b zu spielen ist.

Tipp: Das Menuett war im 18. Jahrhundert ein beliebter Tanz der Adligen.

Menuett der Verliebten

M: Johann Sebastian Bach (1685-1750), Satz: R.B.
T: Christian Friedrich Henrici, genannt Picander (1700-1764)

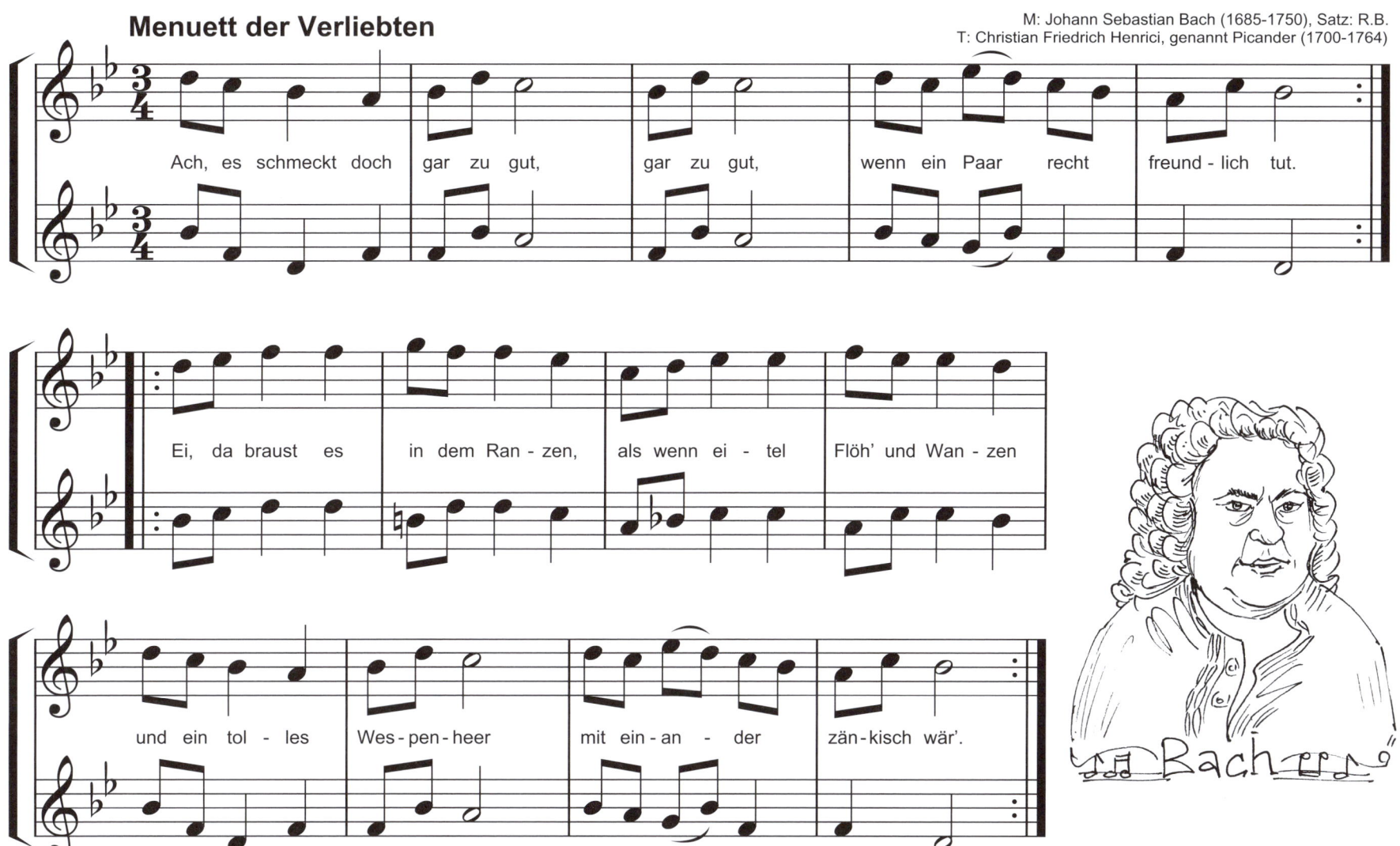

Ach, es schmeckt doch gar zu gut, gar zu gut, wenn ein Paar recht freund-lich tut.

Ei, da braust es in dem Ran-zen, als wenn ei-tel Flöh' und Wan-zen

und ein tol-les Wes-pen-heer mit ein-an-der zän-kisch wär'.

© 2004 Schott Musik International, Mainz

Tipp: In diesem Stück kommen als Vorzeichen ♯ und ♭ vor. Wir schreiben nur die ♭ am Notenschlüssel, damit keine Verwirrung entsteht.

Im türkischen Bazar

Volksweise aus der Türkei
Satz & T: R.B.

1. Gu - ten Tag, sa - lam a - lei - kum, was darf es heu - te sein?
   Sü - ße Fei - gen, Dat - teln, Lo - kum*, Man - deln, Ro - si - nen fein?
2. Zie - gen - bra - ten, Ham - mel - spie - ße sind heut be - son - ders zart!
   Und den Pfiff gibt ei - ne Pri - se Saf - ran der bes - ten Art!

* Lokum sind in Puderzucker gewälzte Würfel aus Fruchtgelee.

1.+2. Al - les, was das Herz be - glü - cket, geb ich Ih - nen gern,

Ih - re Ta - fel sei be - stü - cket wie bei gro - ßen Herrn!

Ali, der türkische Tierpfleger aus Istanbul, kümmert sich rührend darum, dass immer genug frisches Futter für die Tiere im Zirkus da ist.

© 2004 Schott Musik International, Mainz

Der Ton gis

Das **gis** ist der Bruder des g mit einem Kreuz als Vorzeichen. Greife dazu ein tiefes e und öffne das Griffloch des linken Ringfingers. Natürlich gilt auch dieses Vorzeichen immer bis zum Ende des Taktes.

Gisela

R.B.

1.+2. Mei-ne Freun-din Gi-se-la mag ich ger-ne lei-den, darf mit ih-rem Po-ny ja durch die Wie-sen rei-ten.

Nach der zweiten Strophe die erste Zeile wiederholen.

1. Sie hat kei-ne Angst da-bei, es ist wie ein Wun-der, mit ihr füh-le ich mich frei, fal-le nicht he-run-ter.
2. Ü-ber Stock und ü-ber Stein flie-gen uns-re Pfer-de, könn-te et-was schö-ner sein auf der wei-ten Er-de?

© 2004 Schott Musik International, Mainz

Besorgnis

M & T: Anton Wilhelm von Zuccalmaglio (1803-1869)
Satz: R.B.

1. Feins- lieb- chen, du sollst mir nicht bar- fuß gehn, du zer- trittst dir die zar- ten Füß- lein schön, tra- la- la- la, tra- la- la- la, du zer- trittst dir die zar- ten Füß- lein schön.
2. Wie soll- te ich denn nicht bar- fuß gehn, hab' kei- ne Schu- he ja an- zu- ziehn, tra- la- la- la, tra- la- la- la, hab' kei- ne Schu- he ja an- zu- ziehn.

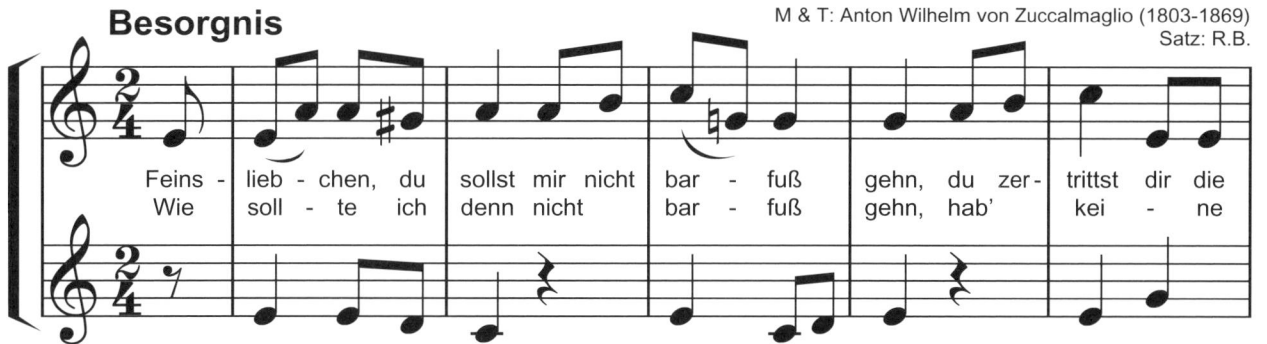

Auf der Zirkuswiese gehen **Zirkuskinder** gerne barfuß. Aber sie müssen immer gut Acht geben, damit sie nicht in stachlige Pflanzen oder herumliegende Glasscherben treten. Trotzdem tragen einige ein Pflaster am Fuß.

© 2004 Schott Musik International, Mainz

Hochzeits-Mazurka

Volkslied aus Polen
Satz & T: R.B.

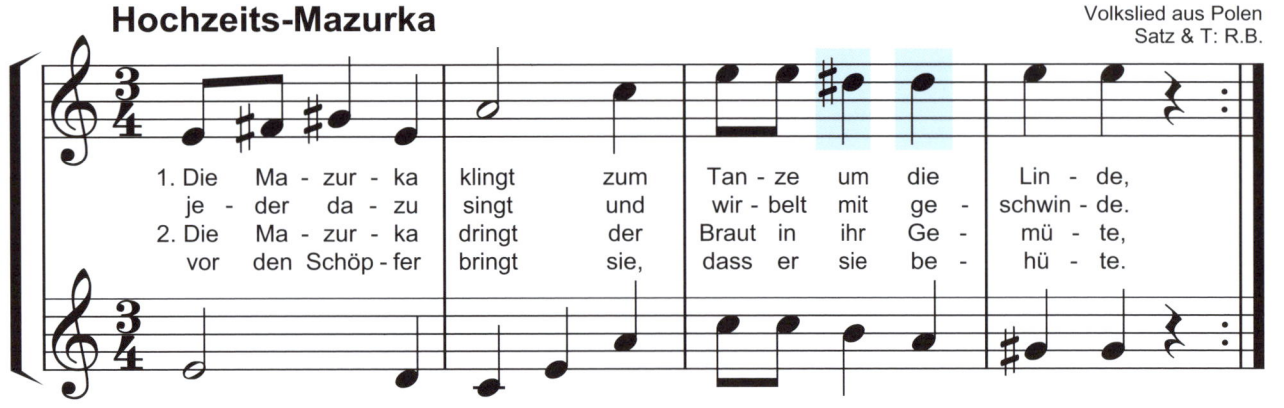

1. Die Mazurka klingt zum Tanze um die Linde, jeder dazu singt und wirbelt mit geschwinde.
2. Die Mazurka dringt der Braut in ihr Gemüte, vor den Schöpfer bringt sie, dass er sie behüte.

1. Keiner will dann abseits stehen und sich nicht im Kreise drehen.
2. Dieser Tag soll nicht vergebens sein, der schönste ihres Lebens!

Alle sind dabei im Dorf beim Feste.
Alle wünschen Glück und nur das Beste.

© 2004 Schott Musik International, Mainz

Der Ton dis

Hier kommt der Ton **dis** vor. Er gehört zwar zur Familie des Tones d, klingt aber gleich wie der Ton **es** und hat daher denselben Griff (siehe Seite 68).

Noch schwungvoller wird die Mazurka, wenn du jedes Mal statt gleich langer Achtel punktierte Achtel mit Sechzehntel spielst (siehe Seite 42).

Als **Kasimir**, der polnische Platzanweiser, in Warschau heiratete, wurden selbstverständlich Mazurka und Polonaise getanzt (siehe Seite 28).

Märchen

M: Karl Komzák (1823-93)
Satz: R.B.

spiele alle Achtelnoten staccato, also kurz (siehe Seite 51)

Inhaltsverzeichnis

Zirkus-Fanfare und Eröffnungslied	2
Der Ton fis, **Das Kreuz ♯**, Fischers Fritz	4
Avignon	5
Morgenkanon, Froh zu sein, Froschkonzert (Kanons)	6
Fütterung der Tiere	7
Eseltreiber	8
Kommt ein Vogel geflogen, Happy birthday to you	9
Im Märzen der Bauer	10
Auf einem Baum ein Kuckuck saß	11
Auf unsrer Wiese gehet was	12
Vogelhochzeit	13
Familienbande	14
Das Auflösungszeichen ♮, Mal so, mal so	14
Der Mai ist gekommen	15
Das hohe e, Elsternbrauch	16
Der Sechsachteltakt, **Die Achtelpause**, Moritat	17
Guter Mond, du gehst so stille	18
Eine Seefahrt, die ist lustig	19
Die Synkope, Wer kennt Abraham? (Kanon)	20
Der Bindebogen, Englische Nationalhymne	21
Die Blümelein, sie schlafen	22
Weißt du, wieviel Sternlein stehen	23
Die 1. und die 2. Endung, Fahrender Händler	24
Santa Lucia	25
Das hohe g, Gemsenlied	26
Miteinander, Mein Hut, der hat drei Ecken	27
Zirkus-Polonaise	28
Alle Vögel sind schon da	30
Heißa Kathreinerle	31
Jetzt fahr'n wir übern See	32
Die C-Dur-Tonleiter, **Halbton und Ganzton**	33
Der Ton b, **Das ♭**, Bärenlied	34
Geisterstunde (Kanon), Kumbaya	35
Taler, Taler, du musst wandern	36
Oh Susanna	37
Escondido	38
Rätsel-Tango	39
Musikalische Worte, C-a-f-f-e-e (Kanon)	40
Musikalische Wortspiele	41
Die punktierte Achtelnote mit Sechzehntelnote	42
Hoch soll er leben, Goldrausch	43
Macht hoch die Tür	44
O Tannenbaum	45
Das hohe f, Fliege Franz	46
Pudel-Cha-Cha-Cha	47
A B C, die Katze lief im Schnee	48
Am Meer	49
Lautstärken, Karibischer Tanz	50
Spielweisen, Russischer Tanz	51
Frühlings-Courante	52
Sommer-Gavotte	53
Musik berühmter Komponisten	54
Nachtigallenkanon (Haydn)	54
Deutsche Nationalhymne (Haydn)	55
Sehnsucht nach dem Frühling (Mozart)	56
Wiegenlied (Brahms)	57
Der Lindenbaum (Schubert)	58
Märchentanz (Humperdinck)	59
Das Lummerlandlied	60
Hey, Pippi Langstrumpf	62
Die F-Dur-Tonleiter	63
Der Ton cis, Cisterklänge	64
Waschtag	65
Schnellimbiss, Gärtnerlied	66
Torerotanz	67
Der Ton es, Eselsprache	68
Fußball-Boogie-Woogie	69
O Tannenbaum, du trägst	70
Leise rieselt der Schnee	71
Auf der Mauer, auf der Lauer	72
Menuett der Verliebten (Bach)	73
Im türkischen Bazar	74
Friedenswunsch	75
Der Ton gis, Gisela	76
Besorgnis	77
Der Ton dis, Hochzeits-Mazurka	78
Märchen	79
Menuett (Beethoven)	80
Grifftabelle	82
Tracklist	84

Liebe Lehrerinnen und Lehrer, liebe Eltern,

mit dem zweiten Heft des ‚Flötenzirkus' wollen wir das Konzept weiter führen, das Erlernen des Blockflötenspiels mit dem Singen und rhythmischen Sprechen zu verbinden. Das bedeutet, dass in fortlaufenden Strophen im Wechsel gespielt und gesungen werden sollte, wie bereits im ersten Heft des ‚Flötenzirkus' beschrieben. Die musiktheoretischen Inhalte bleiben altersgemäß begrenzt auf wenige wesentliche Begriffe, auch werden noch nicht alle Töne gelernt. So bleibt das Musizieren stets im Vordergrund.

Wiederum viel Freude und Erfolg beim Blockflöte spielen wünschen Rainer Butz und Hans Magolt

Alle Griffe auf einen Blick

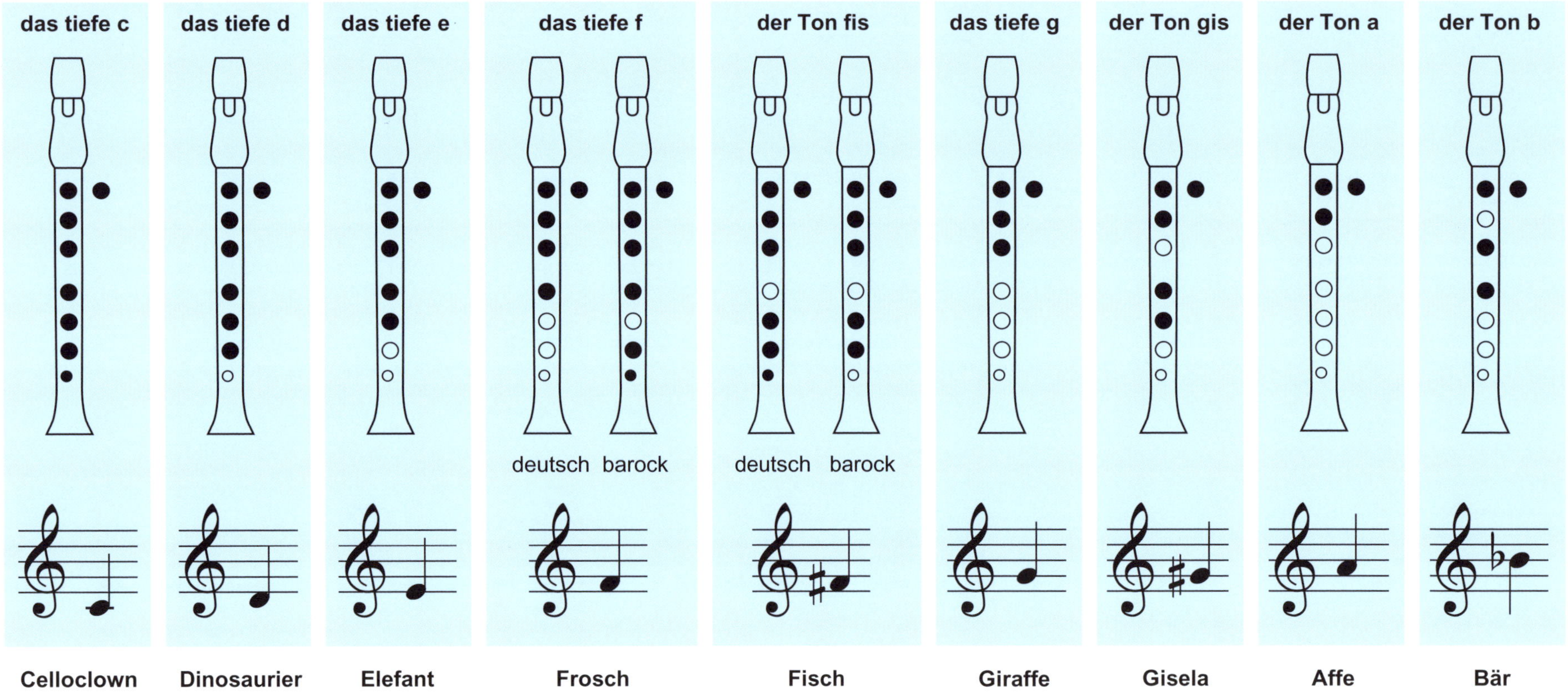

das tiefe c	das tiefe d	das tiefe e	das tiefe f	der Ton fis	das tiefe g	der Ton gis	der Ton a	der Ton b
			deutsch barock	deutsch barock				
Celloclown	Dinosaurier	Elefant	Frosch	Fisch	Giraffe	Gisela	Affe	Bär

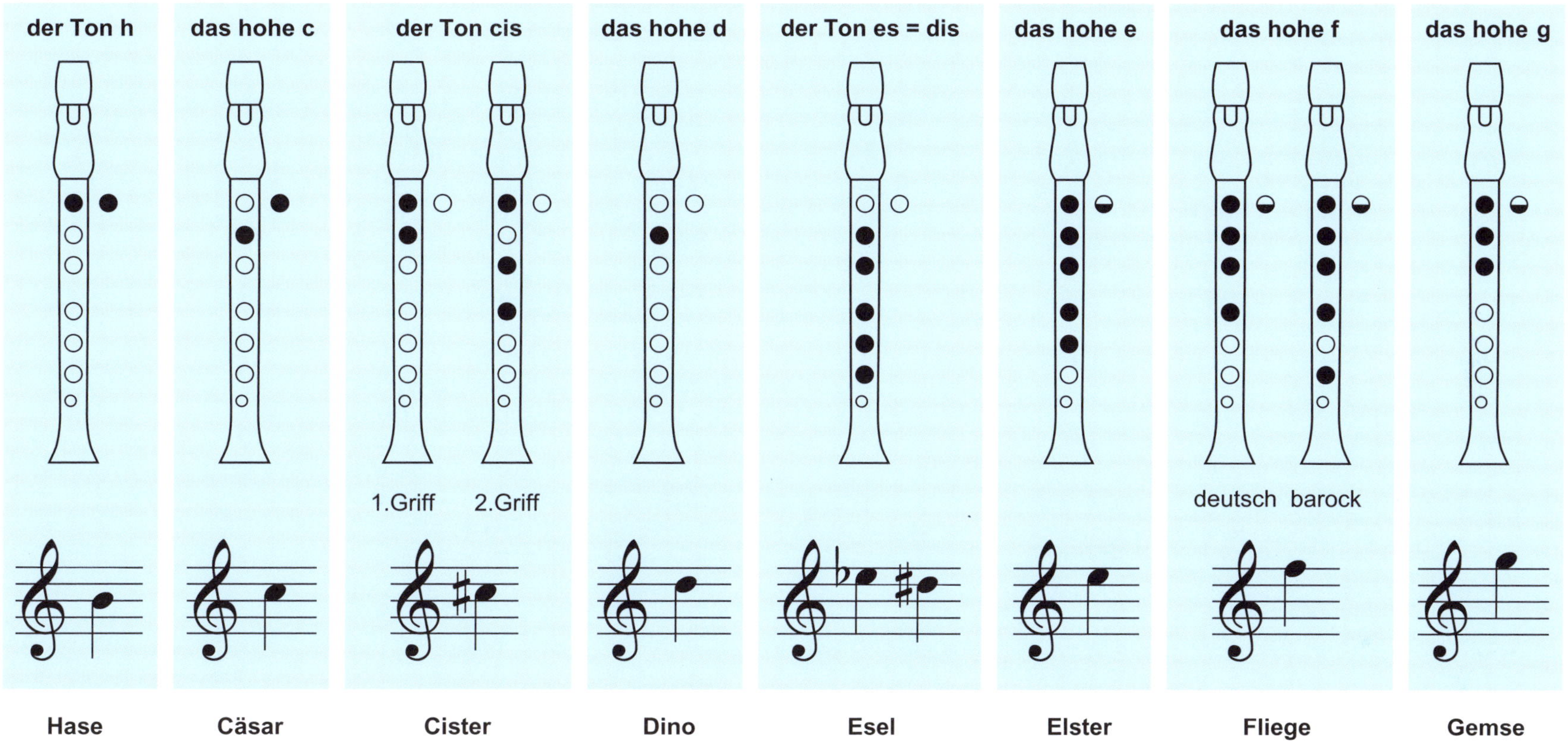

der Ton h	das hohe c	der Ton cis	das hohe d	der Ton es = dis	das hohe e	das hohe f	das hohe g
		1.Griff 2.Griff				deutsch barock	
Hase	Cäsar	Cister	Dino	Esel	Elster	Fliege	Gemse

Tracklist

Track		Titel
1		Begrüßung
2		Stimmtöne
3		Zirkus-Fanfare und Eröffnungslied
4		Avignon
5	(39)	Fütterung der Tiere
6		Auf unsrer Wiese gehet was
7		Vogelhochzeit
8	(40)	Der Mai ist gekommen
9		Moritat
10		Weißt du, wieviel Sternlein stehen
11	(41)	Zirkus-Polonaise
12		Bärenlied
13	(42)	Rätsel-Tango
14	(43)	Macht hoch die Tür
15		O Tannenbaum
16	(44)	Pudel-Cha-Cha-Cha
17		A B C, die Katze lief im Schnee
18	(45)	Karibischer Tanz
19	(46)	Russischer Tanz
20	(47)	Sehnsucht nach dem Frühling (Mozart)
21		Wiegenlied (Brahms)
22		Der Lindenbaum (Schubert)
23	(48)	Märchentanz (Humperdinck)
24		Das Lummerlandlied
25	(49)	Hey, Pippi Langstrumpf
26		Cisterklänge
27		Gärtnerlied
28		Torerotanz
29		Eselsprache
30	(50)	Fußball-Boogie-Woogie
31		O Tannenbaum, du trägst
32	(51)	Leise rieselt der Schnee
33		Menuett der Verliebten (Bach)
34	(52)	Im türkischen Bazar
35		Friedenswunsch
36		Besorgnis
37	(53)	Märchen
38	(54)	Menuett (Beethoven)

Die Zahlen in Klammern geben die Nummer des Titels als Halbplayback an.

Cathrin Meyer-Janson (Blockflöte)
Christoph Meyer-Janson (Piano)
Friedrich Neumann (Gitarre, Bass)
Arrangements: Rainer Butz / Friedrich Neumann
Aufnahme: Studio Neumann, Glienicke
© 2008 Schott Music GmbH & Co. KG, Mainz
℗ 2008 Schott Music & Media GmbH, Mainz

MP3-Pack separat erhältlich unter
www.schott-music.com/shop/Q557417